Classiques Larousse

La Fontaine

Fables

Livres I à VI

choix de fables intégrales

Coláiste Oideachais Mhuire Gan Smal
Luimneach

Édition présentée, annotée et expliquée
par
CLAUDINE NÉDÉLEC
ancienne élève de l'E.N.S.
agrégée des lettres

LAROUSSE

Qu'est-ce qu'un classique ?

Les *Fables* ont été écrites par La Fontaine il y a plus de trois cents ans, sous le règne de Louis XIV. Elles ont été lues et relues depuis par des générations d'enfants et d'adultes. Elles appartiennent maintenant à la littérature classique car elles font encore sourire et les enseignements tirés de chaque histoire sont toujours d'actualité.

Le petit livre que vous avez entre les mains est particulier. En plus d'un choix de fables célèbres ou moins connues, il contient des renseignements sur l'auteur, la poésie, etc. Afin de mieux comprendre les textes de La Fontaine, des notes placées en bas de page expliquent certains mots, et des questions, regroupées dans un encadré, aident à faire le point. Ainsi, vous pourrez lire ces fables avec un plaisir encore plus grand...

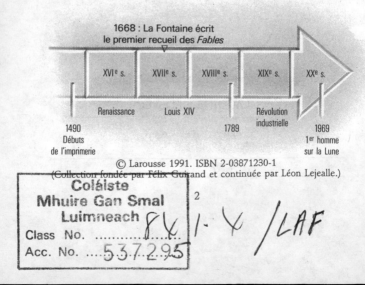

© Larousse 1991. ISBN 2-03871230-1
(Collection fondée par Félix Guirand et continuée par Léon Lejealle.)

2

Sommaire

La vie de Monsieur de La Fontaine

Jean de La Fontaine naît le 8 juillet 1621, sous le règne de Louis XIII, à Château-Thierry (Aisne), dans un milieu bourgeois aisé et cultivé ; son père est maître des Eaux et Forêts, c'est-à-dire responsable de la gestion et de la surveillance des forêts royales. Il passe son enfance à Château-Thierry, y commence ses études, qu'il va poursuivre ensuite à Paris, comme c'était alors l'habitude. Les informations sur cette période de sa vie sont peu nombreuses. Cependant, les *Fables* témoignent du mauvais souvenir qu'il a gardé de ses maîtres d'école.

Maison de La Fontaine à Château-Thierry. B.N.

Que feras-tu quand tu seras grand?

Croyant avoir la vocation religieuse, La Fontaine entre chez les prêtres de la congrégation de l'Oratoire, mais n'y reste guère plus d'un an : il y passe davantage de temps, dira-t-il plus tard, à lire les romans à la mode et les poètes que les livres religieux. Au cours des années suivantes, La Fontaine s'interroge sur son avenir : il

4

lit beaucoup, fait des études de droit (il est reçu avocat en 1649) mais fréquente davantage les réunions littéraires que la faculté ; chez l'écrivain Pellisson, il participe avec d'anciens camarades de collège à des discussions sur l'art et la littérature.

Le 10 novembre 1647, pour faire plaisir à son père, il épouse Marie Héricart (âgée de quatorze ans et demi !). Le mariage n'est pas heureux : La Fontaine se désintéressera de la vie familiale, vivra le plus souvent séparé de sa femme et ne s'occupera guère de son fils (né en 1653). Afin de gagner sa vie, il devient en 1652 « maître particulier des Eaux et Forêts » du duché de Château-Thierry. C'est là qu'il habitera, en alternance avec Paris, jusqu'en 1670.

Je serai écrivain !

C'est en 1664 que paraît sa première œuvre, non signée : l'*Eunuque,* une pièce de théâtre réécrite à partir d'une comédie latine de Térence (IIe siècle av. J.-C.).

À la mort de son père (1658), La Fontaine hérite, mais la succession est difficile et il a beaucoup de problèmes financiers. Heureusement, il se trouve un protecteur très riche, le surintendant des Finances Nicolas Fouquet, auquel il offre un beau manuscrit de son poème intitulé *Adonis*. Dès lors, en échange d'une « pension poétique » (il écrit des vers de circonstance, voir p. 191), Fouquet lui verse une pension... en argent ! Et puis cette amitié lui permet d'entrer dans une société raffinée, intellectuelle, cultivée, de nobles personnages et d'écrivains. Il commence alors à composer une œuvre, mêlant les vers et la prose, sur le magnifique château et ses jardins que

Nicolas Fouquet
d'après Robert Nanteuil.

Fouquet fait bâtir à Vaux-le-Vicomte : ce sera *le Songe de Vaux* (resté inachevé).

En 1661, Fouquet organise une fête splendide à Vaux en l'honneur du roi, mais celle-ci provoque la jalousie de Louis XIV et le fait douter de l'honnêteté de son ministre ; Fouquet est arrêté peu après. La Fontaine lui reste fidèle ; il écrit une *Élégie aux nymphes de Vaux* et une *Ode au roi* pour implorer, sans succès, son pardon. À cause de cela, il doit s'exiler en province (les lettres envoyées alors à sa femme seront réunies et publiées sous le titre de *Voyage en Limousin*).

Un écrivain qui réussit

En 1664, de retour à Paris, il entre au service de la duchesse d'Orléans, ce qui lui laisse des loisirs pour écrire. Et les œuvres se multiplient.

1665 : premier recueil de *Contes et Nouvelles en vers*.

1666 : deuxième recueil de *Contes*.

1668 : premier recueil de *Fables choisies, mises en vers par Monsieur de La Fontaine*. Le succès est éclatant.

1669 : *les Amours de Psyché et de Cupidon,* suivies d'*Adonis,* récit mythologique (voir « mythologie », p. 190) mêlé de prose et de vers.

1671 : troisième recueil de *Contes*.

Problèmes d'argent

Malgré le succès de ses œuvres, La Fontaine a des problèmes financiers, car ses publications ne lui apportent pas les rentrées d'argent nécessaires pour vivre et payer ses dettes. De plus, il est obligé de vendre sa charge de maître des Eaux et Forêts à Château-Thierry (1671), et la duchesse d'Orléans meurt en 1672.

Par bonheur, une autre grande dame, Mme de La Sablière, lui accorde sa protection et son amitié : elle le logera et lui fournira tout le nécessaire pendant plus de vingt ans.

Une vie bien remplie

De 1673 à 1683, La Fontaine écrit beaucoup, et dans des genres très divers : poésie religieuse, satirique (voir « satire »,

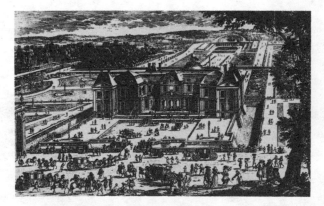

Château de Vaux-le-Vicomte.
Gravure de Gabriel Perelle (1603-1677). B.N., Paris.

p. 191), didactique (voir p. 188) ; théâtre, opéra ; contes... et surtout le *Second Recueil des Fables,* composé de cinq livres (1678-1679).

L'opposition du roi, qui ne l'aime guère, empêche longtemps son élection à l'Académie française ; cependant, il finit par y entrer en 1684. Et il continue à publier séparément des fables.

Mme de La Sablière meurt en 1693. La Fontaine, bien fatigué, se réfugie chez le banquier d'Hervart. Il se tourne vers la religion, renie ses œuvres « scandaleuses » (les *Contes*) et meurt paisiblement et chrétiennement le 14 avril 1695, après avoir publié le douzième et dernier livre des *Fables* (1694).

Madame de La Sablière.
Portrait anonyme. Collection privée.

La Fontaine

1621

1658 : amitié
et protectorat
de Fouquet

Racine

Charles Perrault (1628-1703)

Madame de Sévigné (1626-1696)

Molière (1622-1673)

La Rochefoucauld (1613-1680)

Corneille (1606-1684)

règne de
Louis XIII
(1617-1643)

régence d'Anne
d'Autriche et
de Mazarin
(1643-1661)

1661 : arrestation
de Fouquet

1668 : parution
du premier recueil
de *Fables*   1695

La Bruyère (1645-1696)

(1639-1699)

règne personnel de Louis XIV
(1661-1715)

1668 : création du
labyrinthe de Versailles

11

Un recueil de fables

Le premier recueil de fables de La Fontaine parut en 1668, chez le libraire Barbin, qui était l'éditeur des écrivains à la mode, sous le titre de *Fables choisies mises en vers par Monsieur de La Fontaine.* Chaque fable était illustrée d'une gravure par le célèbre François Chauveau (voir p. 70). Le volume contient cent vingt-quatre fables, numérotées en chiffres arabes et groupées en deux parties de trois « livres » (numérotés en chiffres romains). Se posent alors tout simplement deux questions : qu'est-ce qu'une fable ? Qu'est-ce qu'un recueil ?

Modèles et imitation

Comme La Fontaine le dit dans sa préface, ces récits étaient déjà connus de tous ceux qui avaient pu aller à l'école (les fils des familles riches) : l'énorme majorité des sujets de ses fables est en effet empruntée à des écrivains de l'Antiquité, notamment le Grec Ésope (VIe siècle av. J.-C.) et le Latin Phèdre (10 av. J.-C. - 54 apr. J.-C.). Pour les hommes du XVIIe siècle, il n'y a pas de littérature plus parfaite que celle des Anciens, et on ne peut que bien faire en cherchant là des modèles et des règles. Mais La Fontaine n'est pas un simple imitateur : « Mon imitation n'est point un esclavage » dit-il dans l'*Épître à Huet.* Si l'anecdote, les personnages ne sont pas de lui, il réécrit l'histoire d'une autre façon et modifie souvent la morale (voir p. 190).

La fable, un genre littéraire

La fable, d'après le mot latin *fabula,* c'est une histoire imaginaire, une anecdote. Mais la fable contient « quelque chose de véritable » (La Fontaine, Préface, p. 32) : sa morale. Car le récit est destiné à illustrer un proverbe ou une vérité générale, à montrer un exemple qui en vérifie la justesse. Ainsi, l'histoire du rat rongeant le filet qui retient le lion prisonnier prouve qu'on a toujours besoin d'un plus petit que soi, et que

« Patience et longueur de temps
Font plus que force ni que rage » (II, 11 : livre II, fable numéro 11).

Les animaux et la fable

La fable a pour personnages principaux les animaux, dont les comportements sont identiques à ceux des humains : le renard symbolise la ruse, le lion la puissance royale, l'ours la force brutale (et stupide), le loup la cruauté... On sait dès le début à qui on a affaire !

Comme les fabulistes avant lui, La Fontaine fait aussi parfois parler les plantes ou même les vents (I, 22 ; VI, 3) ; parfois, il distribue aux hommes eux-mêmes tous les rôles (VI, 21) ; parfois, il imagine des dialogues entre l'homme et l'animal (V, 3) ; et Jupiter même, le roi des dieux latins, ne dédaigne pas d'intervenir dans la vie des uns et des autres (III, 4).

Ce n'est pas en biologiste que La Fontaine décrit les animaux (« Je me sers d'animaux pour instruire les hommes » dit-il dans la *Dédicace en vers à Monseigneur le Dauphin*) mais en artiste : il a su les observer et les décrire, et donne ainsi l'illusion de la réalité et de la vie, grâce au choix des détails expressifs. En vérité, c'est des hommes qu'il veut parler.

La brièveté

La fable traditionnelle est un récit court, assez sec, sans parures de style. Or La Fontaine ne veut pas de cette brièveté : il pense que, pour plaire à son public, il faut de la gaieté et « les ornements de la poésie » *(Dédicace en prose à Monseigneur le Dauphin)*. Alors, il transforme profondément le genre.

De ces brèves anecdotes réduites à l'essentiel il fait des récits dynamiques, enjoués, pittoresques, où l'on sent le plaisir de conter, de peindre et le goût du théâtre. Toute l'habileté du poète est mise au service du but recherché : distraire et charmer... Mais n'est-ce pas pour mieux instruire ?

La morale

C'est ainsi que s'appelle la leçon qu'il faut tirer d'une aventure. La morale (voir p. 190) est en fait l'essentiel de la fable, puisque celle-ci n'est racontée que pour rendre plus compréhensible et plus efficace cette leçon. Au XVIIe siècle, en effet, les écrivains pensent que la littérature doit, pour être utile, servir à enseigner des règles de bonne conduite. Ils jugent alors le talent d'un fabuliste au nombre de leçons qu'il sait donner dans les domaines les plus divers et à la clarté de son message moral.

Mais, là encore, La Fontaine se dispense, avec une certaine désinvolture, de suivre la tradition : il lui arrive d'oublier la morale ! Car, pour lui, ce qui compte surtout, c'est d'amuser le lecteur.

Un recueil

Un recueil, c'est une collection, un groupement, ce n'est pas une « œuvre suivie ». Et, pourtant, on ne classe jamais n'importe comment des textes.

La Fontaine a divisé les cent vingt-quatre fables de son premier recueil en six livres, avec une introduction (la dédicace en vers) et une conclusion (l'épilogue). Ce classement ne semble pas correspondre à l'ordre dans lequel les fables ont été écrites.

Y a-t-il un plan ?

Eh bien, il faut dire que les plus érudits et les plus malins se cassent un peu les dents à en trouver un... Parfois, deux fables de même sujet se suivent (II, 11 et II,12), mais, le plus souvent on saute, comme l'on dit, du coq à l'âne (voir p. 188).

Ailleurs, se crée entre deux récits un jeu d'oppositions, mais, d'ordinaire, il n'y a aucun rapport, ni dans le sujet, ni dans les personnages. De nombreuses histoires se rattachent à un thème commun, mais elles sont dispersées çà et là, et, parfois, elles se contredisent ! On ne saurait, en tout cas, trouver aucun « sujet » précis à chacun des six livres. La Fontaine écrivait, à la fin de sa vie *(Discours à Mme de La Sablière)* :

« Ne point errer est au-dessus de mes forces. [...]
Je suis chose légère, et vole à tout sujet ;
Je vais de fleur en fleur, et d'objet en objet. »

La variété, l'imprévu, l'inattendu sont les maîtres mots de ce poète-là.

Alors, plutôt qu'à la belle ordonnance classique et symétrique du château de Versailles, il faut penser à ses jardins... Les fables ne ressemblent-elles pas en effet à un jardin ouvert sur la vaste nature, tant La Fontaine est habile à évoquer les lignes et l'atmosphère d'un paysage ?

Un beau désordre, ou le labyrinthe

Ce que La Fontaine dit aimer par-dessus tout, dans le *Songe de Vaux,* c'est :
« Errer dans un jardin, s'égarer dans un bois,
Se coucher sur des fleurs, respirer leur haleine,
Écouter en rêvant le bruit d'une fontaine... »

Il avait sans doute conçu son recueil comme une sorte de labyrinthe de verdure, où les chemins s'entrecroisent autour des bosquets. À partir de 1669, les jardiniers de Versailles n'installèrent-ils pas, dans un coin du parc, sur une idée de Charles Perrault (l'auteur des fameux contes), un labyrinthe de petites allées, ornées à leurs croisements de fontaines en plomb coloré dont les personnages évoquaient ceux de certaines fables d'Ésope ? Les plus grands artistes de l'époque y collaborèrent. C'est sur ce modèle d'un réseau compliqué de chemins, où l'on risque de se perdre, qu'il faut imaginer le plan du recueil.

Une étrange leçon de sagesse

Dans le jardin enchanté des fables, La Fontaine invite le lecteur à cueillir à son gré les fleurs de la sagesse, non sans quelquefois l'égarer volontairement. Car, pour trouver la sagesse, il faut souvent bien des détours, bien des étapes, bien des égarements. Mais on ne la possède bien que lorsqu'on l'a cherchée...

Recognoistre le bien faict.

Nous deuons estre diligentz
A recognoistre les biens faictz
Qui par les aultres nous sont faictz,
C'est la loy & le droict des gentz.

Fac-similé d'une édition
des *Fables* d'Ésope de 1542.

Comment devenir un sage?

La Fontaine dédie (voir «dédicace» p. 188) son premier recueil de fables au fils aîné du roi Louis XIV, le Dauphin, qui avait alors 6 ans. Son but, dit-il, est de lui offrir une lecture agréable, mais aussi utile et sérieuse. «Vous êtes en un âge où l'amusement et les jeux sont permis aux princes, mais en même temps vous devez donner quelques-unes de vos pensées à des réflexions sérieuses.»

Est-ce à dire que le fabuliste ne soit au fond qu'un ennuyeux professeur, acharné à rappeler les règles de bonne conduite? Non! même si certains de ses vers («En toute chose il faut considérer la fin», III, 5; «Travaillez, prenez de la peine : / C'est le fonds qui manque le moins», V, 9; «L'avarice perd tout en voulant tout gagner», V, 13...) ont servi à ce type de leçon, La Fontaine ne cherchait pas à enseigner la morale, mais la sagesse.

Être lucide

C'est le premier mot de la sagesse : il faut voir le monde, les autres et soi-même tels qu'ils sont réellement. Apprendre à connaître les hommes, et surtout apprendre à se connaître : voilà la première étape.

Or, l'humanité, à la regarder de près, n'est pas vraiment jolie : mensonges, ruses, «la sotte vanité jointe avecque l'envie» (V, 1), égoïsme, ingratitude, injustice, voire cruauté... On a reproché à La Fontaine ce portrait peu

18

flatteur. Peut-être la disgrâce et la chute de son ami Fouquet avaient-elles rendu le poète plus sensible aux cruelles réalités humaines et sociales, aux conséquences tragiques des jalousies, des rancunes et des haines. D'après certains critiques, il aurait oublié l'amour, le dévouement, l'amitié, la reconnaissance... Pourtant, ces valeurs apparaissent aussi çà et là (surtout dans le deuxième recueil), mais ce n'était pas le rôle de la fable d'en parler !

Être prudent...

Ce n'est pas parce que la force et la ruse l'emportent sur le droit, parce que les faibles sont écrasés, parce que les puissants de ce monde en profitent pour exploiter et faire souffrir, qu'il faut devenir l'un d'eux et se conformer à leur morale. D'ailleurs, il y a tout de même une justice ; le méchant et le rusé ne sont vainqueurs qu'un temps, et leurs vices finissent toujours par les mener à leur propre punition, voire à leur perte : « Tel est pris qui croyait prendre » (III, 9). Tel puissant qui croit triompher sera, en fin de compte, comme tous, vaincu par la maladie, la vieillesse, la mort. Le meilleur moyen de lutter contre les abus de pouvoir et les cruautés, c'est de ne pas y donner prise, en sachant reconnaître en soi-même la vanité, l'égoïsme, l'ingratitude, l'avidité ou l'avarice.

... pour être heureux

Si le sage voit et domine ses propres défauts, s'il se protège des entreprises des méchants, il pourra sans doute atteindre le bonheur : car, malgré tout, vive la vie, l'amour, les plaisirs ! On peut être heureux, si l'on sait se contenter de ce que l'on a, jouir de ce que l'on est, sans souhaiter être ou avoir davantage. « Il n'est meilleur ami ni parent que soi-même » (IV, 22) : le sage trouvera en lui-même les sources de son bonheur, parfois tout simplement grâce à son sens de l'humour !

« Une ample comédie »

Le récit peut parfois se passer de la morale : la « bonne histoire » est en elle-même enseignement. Raconter pour rien, pour le plaisir, pour rire, c'est déjà mener l'âme, insensiblement, vers la sagesse... Sagesse qu'il ne faudrait pas elle-même prendre trop au sérieux, faute de se tromper de nouveau : tout être humain commet des erreurs, et seul est vraiment sage après tout celui qui sait... qu'il ne sait rien. Il est normal que les fables se contredisent : la réalité est contradictoire, et il y a bien là de quoi rire, non ?

Du théâtre ?

Comme Molière, La Fontaine veut corriger les mœurs par le rire, et, comme au théâtre, les fables illustrent la puissance de la parole, du dialogue : pour les animaux, faire des discours, attaquer ou se défendre avec des mots, c'est vivre. Même le loup parle à l'agneau avant de le dévorer !

Mais, à l'inverse de ce qui se passe sur une scène, le narrateur (voir p. 190) est presque toujours là. Comme le dit le critique A. Bellesort : « Il vit familièrement avec ses personnages. Il les blâme, les approuve, les encourage, sourit de leurs manigances, s'associe à leurs craintes,

20

entremêle leurs aventures de retours sur lui-même ». Il dialogue aussi avec le lecteur, qu'il oblige à prendre parti, à se sentir concerné.

« Diversité, c'est ma devise »

Non seulement La Fontaine nous transporte d'un coup de baguette magique d'un champ à un bois, d'un chemin à un marais, d'un jardin à une étable, mais encore il use de toutes les ressources de l'écriture pour produire diversité et variété. Il se sert d'un vocabulaire très riche, qui mêle tous les niveaux de langue, toutes les sortes de mots. Il utilise tous les genres de vers, de rythmes, de sonorités. Il joue aussi de tous les tons, et ses fables ressemblent parfois à tout autre chose : à un petit conte, à une pièce de théâtre, à une jolie poésie...

Petit traité
de versification

Mettre en vers, versifier, c'est superposer au découpage en phrases ponctuées de la prose un autre type de découpage défini par :
— un certain nombre de syllabes formant un ensemble disposé sur une seule ligne (le mètre, ou le vers);
— un retour, à la fin de chaque ligne, de sonorités choisies (la rime);
— un certain rythme (les coupes).

La métrique

C'est le compte des syllabes, dont le nombre peut aller de 2 à 14 dans un vers. Certains vers (ou mètres) sont beaucoup plus utilisés que d'autres par les poètes : le vers pair (2, 4, 6... syllabes) est plus fréquent que le vers impair (3, 5, 7... syllabes). Parmi les mètres pairs, l'octosyllabe (vers de 8 syllabes), le décasyllabe (10) et surtout l'alexandrin (12) se rencontrent plus couramment.

Il arrive à La Fontaine d'écrire toute une fable en vers réguliers, c'est-à-dire en vers de même longueur (I, 9 : vers de sept syllabes; III, 1 : alexandrins). Mais il use le plus souvent de vers irréguliers (appelés aussi « variés » ou « libres »), c'est-à-dire qu'il mêle dans une même fable des vers de longueurs différentes : généralement, ce sont des octosyllabes et des alexandrins qui alternent; cependant plusieurs fables contiennent trois mètres (types de vers) différents. La Fontaine introduit aussi des vers très courts. Ex. :

La cigale, ayant chanté
Tout l'été.

Le -e- muet à la fin d'un mot

Le -e- ne s'entend pas dans la prononciation courante, mais la syllabe qui le contient compte en poésie. Ex. :
Maître Corbeau, sur un arbre perché
   1   2   3   4   5   6 7 8   9 10

Deux cas font exception :
— quand le mot suivant commence par une voyelle (ou un -h- non aspiré), le -e- muet s'élide : on fait comme s'il avait disparu. Ex. :
J'ai lu dans quelqu(e) endroit
   1   2   3   4   5   6

— le -e- muet (éventuellement suivi de consonnes non prononcées, comme les marques de pluriel) ne compte pas en fin de vers. Ex. :
Tout marquis veut avoir des pag(es).
   1   2   3   4 5 6 7   8

Diérèse et synérèse

Deux voyelles prononcées qui se suivent dans un mot peuvent compter
— soit pour une syllabe (comme dans la prononciation habituelle) : c'est la synérèse. Ex. :
La cigogn(e) au long bec n'en put attraper miet(te)
  1 2 3 4   5   6   7   8 9 10 11   12

— soit pour deux syllabes : c'est la diérèse. Ex. :
C'est en ces mots que le Lion
   1   2   3   4   5 6 7 8

23

Pour les curieux

1. La Fontaine fait varier l'orthographe en fonction de la métrique. Ex. : *culebutants* (4 syllabes) pour « culbutants » et *chartier* pour « charretier ». (À son époque, les règles de l'orthographe n'étaient pas encore fixées.)

2. Normalement, le pronom placé après le verbe ne s'élide pas ; il arrive à La Fontaine de le faire. Ex. :
Mettons-l(e) en notre gibecière.

3. La Fontaine se permet certaines licences poétiques (voir p. 189) : il écrit par exemple *avecque* ou *avecques* pour « avec » ; *encor* ou *encores* pour « encore ».

4. L'hiatus est la rencontre de deux voyelles prononcées à la fin d'un mot et au début du mot suivant.
— Pour l'éviter, La Fontaine utilise une orthographe archaïque (voir « archaïsme » p. 187). Ex. :
Une fourmis y tombe.
— Parfois, il utilise exprès l'hiatus pour son effet expressif. Ex. :
Au haut et au loin.

La rime

On appelle « rime » le retour de sons identiques à la fin de deux (ou de plusieurs) vers. C'est le son qui compte, non l'orthographe, mais on ne doit pas faire rimer un singulier et un pluriel.

La disposition des rimes

● Les rimes plates (aa / bb...). Ex. :

La Cigale, ayant chanté	(a)
Tout l'été,	(a)
Se trouva fort dépourvue	(b)
Quand la bise fut venue	(b)

● Les rimes croisées (ab / ab...). Ex. :

Maître Corbeau, sur un arbre perché,	(a)
Tenait en son bec un fromage.	(b)
Maître Renard, par l'odeur alléché,	(a)
Lui tint à peu près ce langage	(b)

● Les rimes embrassées (ab / ba...). Ex. :

Le monde est plein de gens qui ne sont pas plus sages :	(a)
Tout bourgeois veut bâtir comme les grands seigneurs,	(b)
Tout petit prince a des ambassadeurs,	(b)
Tout marquis veut avoir des pages.	(a)

Souvent, La Fontaine mêle toutes les dispositions dans une même fable (ex. : I,2).

La nature des rimes

● Rimes féminines et masculines

Les rimes féminines sont celles qui se terminent par un -e- muet (suivi ou non de consonnes muettes). Toutes les autres sont des rimes masculines (on ne tient donc pas compte du genre des mots). La tradition exige l'alternance de rimes masculines et féminines. Ex. :

Autrefois, le Rat de ville	(F)
Invita le Rat des champs,	(M)
D'une façon fort civile,	(F)
À des reliefs d'ortolans.	(M)

● Rimes pauvres, suffisantes, riches

— Rimes pauvres : seule la voyelle finale prononcée est reprise. Ex. :

déplut / put   (u).

— rimes suffisantes : le son-voyelle est précédé **ou** suivi d'une consonne identique (deux sons riment). Ex.

mémoire / foire   (oir); *moisonner / glaner*   (ne).

25

— rimes riches : trois sons riment. Ce peut être un son-voyelle encadré de deux consonnes ou une consonne encadrée de deux sons-voyelles. Ex. :

mode / incommode   (mod).
détaler / aller   (alé).

Pour les curieux

1. La Fontaine adopte certaines orthographes archaïques (voir p. 187) pour améliorer l'aspect visuel de la rime. Ex. :
trou / soû   pour « soûl »;
déjeuné / étonné   pour « déjeuner ».
oût / bout   pour « août »
petits / la fourmis   pour « fourmi ».

2. Prononciation
— La diphtongue -oi- se prononce normalement alors -oué- (bien qu'à la Cour certains disent déjà -oua-). La Fontaine peut ainsi faire rimer : « flouet » (fluet) et « étroit ».
— Pour les mots en -eur-, la prononciation hésite entre -eur- et -eu-. Ex. : *monsieur / flatteur*.
— La Fontaine peut faire sonner le -r- à la rime, là où l'on ne l'entend pas habituellement. Ex. : *cher / chercher*.
— Parfois, le -s- n'est pas prononcé. Ex. : *iris / avertis*
— La Fontaine adopte pour la rime les formes archaïques *die* au lieu de « dise »; *treuvent* au lieu de « trouvent ».

3. Rimes défectueuses. Ex. : parole / épaule.

Le rythme

Les coupes
Il est habituel de couper un vers long en deux parties sensiblement égales : l'alexandrin se décompose par

exemple en deux groupes de six syllabes, appelés hémistiches.

Cette coupe principale, ou césure, peut être accompagnée de coupes secondaires.

La Fontaine joue de façon très libre avec les coupes et use de toutes les possibilités. Ex. : I,3 ou I,5.

Les enjambements

Normalement, le groupe de mots qui constitue le vers doit former un sens complet. Ex. :

Un loup n'avait que les os et la peau

Si ce n'est pas le cas, et si l'on doit lire le vers précédent (ou le suivant) pour obtenir un sens, il y a enjambement (ou rejet). Ex. :

Sire, répond l'Agneau, que Votre Majesté
Ne se mette pas en colère.

Jean de La Fontaine.
Estampe de Gérard Edelinck (1640-1707).
Bibliothèque nationale, Paris.

LA FONTAINE

Fables

Livres I à VI

publiés pour la première fois
en 1668.

Préface

1 L'indulgence que l'on a eue pour quelques-unes de mes
fables[1] me donne lieu d'espérer la même grâce pour ce
recueil. Ce n'est pas qu'un des maîtres de notre
éloquence[2] n'ait désapprouvé le dessein de les mettre en
5 vers : il a cru que leur principal ornement est de n'en avoir
aucun ; que d'ailleurs la contrainte de la poésie, jointe à la
sévérité de notre langue, m'embarrasseraient en beaucoup
d'endroits, et banniraient de la plupart de ces récits la
brèveté[3], qu'on peut fort bien appeler l'âme du conte
10 puisque sans elle il faut nécessairement qu'il languisse[4].
Cette opinion ne saurait partir que d'un homme
d'excellent goût ; je demanderais seulement qu'il en
relâchât quelque peu, et qu'il crût que les grâces
lacédémoniennes[5] ne sont pas tellement ennemies des
15 muses françaises[6], que l'on ne puisse souvent les faire
marcher de compagnie.

---

1. *Quelques-unes ... fables :* La Fontaine n'en avait publié aucune avant 1668. Il
parle donc de l'accueil fait par ses amis ou relations mondaines à des fables qu'il
leur a lues ou communiquées en manuscrit, comme cela était alors la coutume.
2. *Un des ... éloquence :* l'avocat et académicien Patru, considéré alors comme
une autorité (*Lettres à Olinde*, 1659).
3. *La brèveté :* la brièveté.
4. *Qu'il languisse :* qu'il manque d'animation, d'entrain.
5. Les habitants de Sparte, ou Lacédémoniens, étaient réputés dans l'Antiquité
pour la brièveté et la concision de leurs paroles, mais pas pour leur « grâce ».
6. *Les muses françaises :* les Muses sont les déesses qui assistent Apollon,
dieu gréco-latin des Arts ; le mot désigne ici la poésie.

30

Après tout, je n'ai entrepris la chose que sur l'exemple,
je ne veux pas dire des anciens, qui ne tire point à
conséquence pour moi[1], mais sur celui des modernes.
20 C'est de tout temps, et chez tous les peuples qui font
profession de poésie, que le Parnasse a jugé ceci de son
apanage[2]. À peine les fables qu'on attribue à Ésope[3] virent
le jour, que Socrate[4] trouva à propos de les habiller des
livrées des Muses[5]. Ce que Platon en rapporte est si
25 agréable que je ne puis m'empêcher d'en faire un des
ornements de cette préface. Il dit que Socrate étant
condamné au dernier supplice[6], l'on remit l'exécution de
l'arrêt, à cause de certaines fêtes. Cèbès[7] l'alla voir le jour
de sa mort. Socrate lui dit que les Dieux l'avaient averti
30 plusieurs fois, pendant son sommeil, qu'il devait
s'appliquer à la musique[8] avant qu'il mourût. Il n'avait pas
entendu[9] d'abord ce que ce songe signifiait; car, comme la
musique ne rend pas l'homme meilleur, à quoi bon s'y

---

1. *Qui ne ... pour moi* : qui n'a pas d'importance, dans la mesure où il n'écrit pas
en latin.
2. Le Parnasse est la montagne où habitaient les Muses selon les Anciens,
d'où, par métonymie (voir p. 190), la poésie. La fable fait partie de l'apanage,
c'est-à-dire de l'héritage de la poésie.
3. *Ésope* (vi[e] siècle av. J.-C.) aurait été esclave, puis, affranchi, aurait voyagé dans
le monde grec.
4. *Socrate* : grand philosophe grec dont l'écrivain Platon rapporta la vie et
l'enseignement (ve siècle av. J.-C.). Le récit auquel La Fontaine fait allusion se
trouve dans le *Phédon*.
5. *Les habiller ... Muses* : leur donner les habits des Muses, les mettre en vers.
6. *Au dernier supplice* : à mort.
7. *Cébès* : un ami de Socrate.
8. *Musique* : le mot en grec désigne tout ce qui a rapport aux Muses,
c'est-à-dire la poésie, le théâtre, l'histoire et la musique.
9. *Entendu* : compris.

attacher? Il fallait qu'il y eût du mystère là-dessous :
35 d'autant plus que les Dieux ne se lassaient point de lui
envoyer la même inspiration. Elle lui était encore venue
une de ces fêtes. Si bien qu'en songeant aux choses que le
Ciel pouvait exiger de lui, il s'était avisé que la musique et
la poésie ont tant de rapport, que possible était-ce[1] de la
40 dernière qu'il s'agissait. Il n'y a point de bonne poésie sans
harmonie ; mais il n'y en a point non plus sans fiction ; et
Socrate ne savait que dire la vérité. Enfin il avait trouvé un
tempérament[2] : c'était de choisir des fables qui continssent
quelque chose de véritable, telles que sont celles d'Ésope.
45 Il employa donc à les mettre en vers les derniers moments
de sa vie.

Socrate n'est pas le seul qui ait considéré comme sœurs
la poésie et nos fables. Phèdre[3] a témoigné qu'il était de ce
sentiment ; et par l'excellence de son ouvrage, nous
50 pouvons juger de celui du prince des philosophes. Après
Phèdre, Aviénus[4] a traité le même sujet. Enfin les
modernes les ont suivis : nous en avons des exemples, non
seulement chez les étrangers, mais chez nous. Il est vrai
que lorsque nos gens[5] y ont travaillé, la langue était si
55 différente de ce qu'elle est, qu'on ne les doit considérer
que comme étrangers. Cela ne m'a point détourné de

---

1. *Possible était-ce* : c'était peut-être.
2. *Tempérament* : moyen terme, compromis.
3. *Phèdre* : esclave de l'empereur latin Auguste (Ier siècle av. J.-C.), qui l'affran-
chit, et auteur de cinq livres de fables en vers inspirées de celles attribuées à
Ésope.
4. *Aviénus* : poète latin du IIe siècle apr. J.-C., auteur de 42 fables en vers.
5. *Nos gens* : les Français ; comme la majorité des hommes du XVIIe siècle, La
Fontaine n'apprécie guère la littérature du Moyen Âge et du XVIe siècle.

mon entreprise : au contraire, je me suis flatté de
l'espérance que si je ne courais dans cette carrière[1] avec
succès, on me donnerait au moins la gloire de l'avoir
60 ouverte.

Il arrivera possible[2] que mon travail fera naître à d'autres
personnes l'envie de porter la chose plus loin. Tant s'en
faut que cette matière soit épuisée, qu'il reste encore plus
de fables à mettre en vers que je n'en ai mis. J'ai choisi
65 véritablement les meilleures, c'est-à-dire celles qui m'ont
semblé telles ; mais outre que je puis m'être trompé dans
mon choix, il ne sera pas difficile de donner un autre tour à
celles-là même que j'ai choisies ; et si ce tour est moins
long, il sera sans doute plus approuvé. Quoi qu'il en arrive,
70 on m'aura toujours obligation, soit que ma témérité ait été
heureuse, et que je ne me sois point trop écarté du chemin
qu'il fallait tenir, soit que j'aie seulement excité les autres à
mieux faire.

Je pense avoir justifié suffisamment mon dessein : quant
75 à l'exécution, le public en sera juge. On ne trouvera pas ici
l'élégance ni l'extrême brèveté qui rendent Phèdre
recommandable ; ce sont qualités au-dessus de ma portée.
Comme il m'était impossible de l'imiter en cela, j'ai cru
qu'il fallait en récompense[3] égayer l'ouvrage plus qu'il n'a
80 fait. Non que je le blâme d'en être demeuré dans ces
termes[4] : la langue latine n'en demandait pas davantage ; et

---

1. *Si je ... carrière* : si je ne l'entreprenais ; métaphore (voir p. 189) empruntée
aux jeux du cirque, à Rome.
2. *Possible* : peut-être.
3. *En récompense* : en compensation.
4. *Termes* : limites.

si l'on y veut prendre garde, on reconnaîtra dans cet auteur
le vrai caractère et le vrai génie de Térence[1]. La simplicité
est magnifique chez ces grands hommes : moi, qui n'ai
85 pas les perfections du langage comme ils les ont eues, je ne
la puis élever à un si haut point. Il a donc fallu se
récompenser d'ailleurs ; c'est ce que j'ai fait avec d'autant
plus de hardiesse, que Quintilien[2] dit qu'on ne saurait trop
égayer les narrations. Il ne s'agit pas ici d'en apporter une
90 raison : c'est assez que Quintilien l'ait dit. J'ai pourtant
considéré que ces fables étant sues de tout le monde, je ne
ferais rien si je ne les rendais nouvelles par quelques traits
qui en relevassent le goût. C'est ce qu'on demande
aujourd'hui : on veut de la nouveauté et de la gaieté. Je
95 n'appelle pas gaieté ce qui excite le rire ; mais un certain
charme, un air agréable, qu'on peut donner à toutes sortes
de sujets, mêmes les plus sérieux.

Mais ce n'est pas tant par la forme que j'ai donnée à cet
ouvrage qu'on en doit mesurer le prix, que par son utilité
100 et par sa matière ; car qu'y a-t-il de recommandable dans
les productions de l'esprit, qui ne se rencontre dans
l'apologue[3] ? C'est quelque chose de si divin, que plusieurs
personnages de l'Antiquité ont attribué la plus grande
partie de ces fables à Socrate, choisissant, pour leur servir
105 de père, celui des mortels qui avait le plus de

---

1. *Térence* : auteur comique latin du IIe siècle apr. J.-C., dont on appréciait le comique fin. La Fontaine, pour premier essai, avait traduit sa pièce intitulée l'*Eunuque*.
2. *Quintilien* : écrivain latin (Ier siècle apr. J.-C.). Il était notamment l'auteur de l'*Institution oratoire*.
3. *L'apologue* : court récit qui renferme un enseignement moral sous une forme imagée.

communication avec les Dieux. Je ne sais comme ils n'ont
point fait descendre du ciel ces mêmes fables, et comme
ils ne leur ont point assigné un dieu qui en eût la direction[1],
ainsi qu'à la poésie et à l'éloquence. Ce que je dis n'est pas
110 tout à fait sans fondement, puisque, s'il m'est permis de
mêler ce que nous avons de plus sacré parmi les erreurs du
paganisme, nous voyons que la Vérité a parlé aux hommes
par paraboles[2]; et la parabole est-elle autre chose que
l'apologue, c'est-à-dire un exemple fabuleux, et qui
115 s'insinue avec d'autant plus de facilité et d'effet, qu'il est
plus commun et plus familier? Qui ne nous proposerait à
imiter que les maîtres de la sagesse, nous fournirait un
sujet d'excuse : il n'y en a point quand des abeilles et des
fourmis sont capables de cela même qu'on nous
120 demande.

C'est pour ces raisons que Platon[3], ayant banni
Homère[4] de sa république, y a donné à Ésope une place
très honorable. Il souhaite que les enfants sucent ces
fables avec le lait; il recommande aux nourrices de les leur
125 apprendre; car on ne saurait s'accoutumer de trop bonne
heure à la sagesse et à la vertu. Plutôt que d'être réduits à
corriger nos habitudes, il faut travailler à les rendre bonnes
pendant qu'elles sont encore indifférentes au bien ou au
mal. Or quelle méthode y peut contribuer plus utilement

---

1. *Ils ne leurs ... la direction :* il n'y avait pas de Muse pour la fable.
2. *Paraboles :* récits qui donne sous une forme imagée un enseignement religieux.
3. Dans *la République* (livre III), Platon chasse le poète de la cité idéale, parce qu'il est l'auteur de récits imaginaires, inutiles et mensongers.
4. *Homère :* auteur de l'*Iliade* et de l'*Odyssée* (VIIIᵉ siècle av. J.-C.). Platon le cite comme le poète par excellence.

130 que ces fables? Dites à un enfant que Crassus[1], allant
contre les Parthes, s'engagea dans leur pays sans
considérer comment il en sortirait; que cela le fit périr, lui
et son armée, quelque effort qu'il fît pour se retirer. Dites
au même enfant que le Renard et le Bouc descendirent au
135 fond d'un puits pour y éteindre leur soif; que le Renard en
sortit s'étant servi des épaules et des cornes de son
camarade comme d'une échelle; au contraire, le Bouc y
demeura pour n'avoir pas eu tant de prévoyance; et par
conséquent il faut considérer en toute chose la fin. Je
140 demande lequel de ces deux exemples fera le plus
d'impression sur cet enfant. Ne s'arrêtera-t-il pas au
dernier, comme plus conforme et moins disproportionné
que l'autre à la petitesse de son esprit? Il ne faut pas
m'alléguer que les pensées de l'enfance sont
145 d'elles-mêmes assez enfantines, sans y joindre encore de
nouvelles badineries[2].

Ces badineries ne sont telles qu'en apparence; car dans
le fond elles portent un sens très solide. Et comme, par la
définition du point, de la ligne, de la surface, et par
150 d'autres principes très familiers, nous parvenons à des
connaissances qui mesurent enfin le ciel et la terre, de
même aussi, par les raisonnements et conséquences que
l'on peut tirer de ces fables, on se forme le jugement et les
mœurs, on se rend capable de grandes choses.

155 Elles ne sont pas seulement morales, elles donnent
encore d'autres connaissances. Les propriétés des

---

1. *Crassus* : homme politique romain (Iᵉʳ siècle av. J.-C.) qui périt dans une
campagne contre les Parthes, ennemis de Rome.
2. *Badineries* : enfantillages, niaiseries.

animaux et leurs divers caractères y sont exprimés; par
conséquent les nôtres aussi, puisque nous sommes
l'abrégé de ce qu'il y a de bon et de mauvais dans les
160 créatures irraisonnables. Quand Prométhée[1] voulut former
l'homme, il prit la qualité dominante de chaque bête : de
ces pièces si différentes il composa notre espèce; il fit cet
ouvrage qu'on appelle le Petit-Monde[2]. Ainsi ces fables
sont un tableau où chacun de nous se trouve dépeint. Ce
165 qu'elles nous représentent confirme les personnes d'âge
avancé dans les connaissances que l'usage leur a données,
et apprend aux enfants ce qu'il faut qu'ils sachent.
Comme ces derniers sont nouveau-venus dans le monde,
ils n'en connaissent pas encore les habitants : ils ne se
170 connaissent pas eux-mêmes. On ne les doit laisser dans
cette ignorance que le moins qu'on peut; il leur faut
apprendre ce que c'est qu'un lion, un renard, ainsi du
reste; et pourquoi l'on compare quelquefois un homme à
ce renard ou à ce lion. C'est à quoi les fables travaillent; les
175 premières notions de ces choses proviennent d'elles.

J'ai déjà passé la longueur ordinaire des préfaces;
cependant je n'ai pas encore rendu raison de la conduite
de mon ouvrage. L'apologue est composé de deux parties,
dont on peut appeler l'une le corps, l'autre l'âme. Le corps
180 est la fable; l'âme, la moralité. Aristote n'admet dans la
fable que les animaux; il en exclut les hommes et les

---

1. *Prométhée* : personnage mythologique (voir p. 190) qui avait volé le feu aux
dieux pour le donner aux hommes. Selon certaines versions, il aurait fabriqué
une figure humaine avec de l'argile, puis l'aurait animée avec ce feu.
2. *Le Petit-Monde* : le microcosme, par opposition au macrocosme (l'Univers);
l'homme était considéré par les philosophes comme un abrégé des merveilles
de l'Univers.

plantes[1]. Cette règle est moins de nécessité que de bienséance[2], puisque ni Ésope, ni Phèdre, ni aucun des fabulistes, ne l'a gardée, tout au contraire de la moralité,
185 dont aucun ne se dispense. Que s'il m'est arrivé de le faire, ce n'a été que dans les endroits où elle n'a pu entrer avec grâce, et où il est aisé au lecteur de la suppléer. On ne considère en France que ce qui plaît : c'est la grande règle, et pour ainsi dire la seule[3]. Je n'ai donc pas cru que ce fût
190 un crime de passer par-dessus les anciennes coutumes lorsque je ne pouvais les mettre en usage sans leur faire tort. Du temps d'Ésope, la fable était contée simplement : la moralité séparée, et toujours ensuite. Phèdre est venu, qui ne s'est pas assujetti à cet ordre : il embellit la
195 narration, et transporte quelquefois la moralité de la fin au commencement. Quand il serait nécessaire de lui trouver place, je ne manque à ce précepte que pour en observer un qui n'est pas moins important : c'est Horace[4] qui nous le donne. Cet auteur ne veut pas qu'un écrivain s'opiniâtre
200 contre l'incapacité de son esprit, ni contre celle de sa matière. Jamais, à ce qu'il prétend, un homme qui veut

---

1. Aristote était un encyclopédiste grec (IVᵉ siècle av. J.-C.), auteur, entre autres, d'une *Rhétorique*.
2. *Bienséance* : convenance.
3. *La seule* : La Fontaine retrouve Molière sur ce point : « Je voudrais bien savoir si la grande règle de toutes les règles n'est pas de plaire » (*la Critique de « l'École des femmes »*), et Racine : « La principale règle est de plaire et de toucher » (préface de *Bérénice*).
4. *Horace* : poète latin (fin du Iᵉʳ siècle av. J.-C.), auteur d'un *Art poétique* très célèbre.

réussir n'en vient jusque-là ; il abandonne les choses dont il voit bien qu'il ne saurait rien faire de bon :

... *Et quae*
Desperat tractata nitescere posse, relinquit[1].

205

C'est ce que j'ai fait à l'égard de quelques moralités, du succès desquelles je n'ai pas bien espéré [...][2].

---

1. *Et quae... relinquit :* « Et les sujets auxquels il désespère de donner de l'éclat, il les laisse » (*Art poétique*).
2. *[...] :* le dernier paragraphe est consacré à la présentation de la *Vie d'Ésope* par le moine byzantin Planude (XIVe siècle), que La Fontaine joint à son ouvrage, tout en rappelant que les spécialistes la considéraient déjà comme fort peu crédible.

La Cigale et la Fourmi.
Illustration de Benjamin Rabier (1869-1939).

Livre premier

1. La Cigale et la Fourmi

La Cigale, ayant chanté
Tout l'été,
Se trouva fort dépourvue[1]
Quand la bise[2] fut venue :
5 Pas un seul petit morceau
De mouche ou de vermisseau.
Elle alla crier famine[3]
Chez la Fourmi sa voisine,
La priant de lui prêter
10 Quelque grain pour subsister[4]
Jusqu'à la saison nouvelle[5].
« Je vous paierai, lui dit-elle,
Avant l'oût[6], foi d'animal[7],
Intérêt et principal[8]. »
15 La Fourmi n'est pas prêteuse :
C'est là son moindre défaut[9].
« Que faisiez-vous au temps chaud ?
Dit-elle à cette emprunteuse.

---

1. *Dépourvue :* privée de ce qu'il faut pour vivre.
2. *La bise :* le vent du Nord et, par métonymie (voir p. 190), l'hiver.
3. *Crier famine :* se plaindre qu'elle avait faim.
4. *Subsister :* survivre.
5. *La saison nouvelle :* le printemps.
6. *Oût :* le mois d'août, saison des récoltes.
7. *Foi d'animal :* elle lui en donne sa parole.
8. *Principal :* la somme due, par opposition aux intérêts.
9. *Son moindre défaut :* son plus petit défaut.

— Nuit et jour à tout venant[1]
20 Je chantais, ne vous déplaise[2]!
— Vous chantiez? j'en suis fort aise[3] :
Eh bien! dansez maintenant. »

2. Le Corbeau et le Renard

Maître Corbeau, sur un arbre perché,
    Tenait en son bec un fromage.
Maître Renard, par l'odeur alléché,
    Lui tint à peu près ce langage :
5   « Hé! bonjour, Monsieur du Corbeau.
Que vous êtes joli! que vous me semblez beau!
    Sans mentir, si votre ramage[4]
    Se rapporte[5] à votre plumage,
Vous êtes le phénix[6] des hôtes de ces bois[7]. »
10 À ces mots le Corbeau ne se sent pas de joie;
    Et pour montrer sa belle voix,
Il ouvre un large bec, laisse tomber sa proie.
Le Renard s'en saisit, et dit : « Mon bon Monsieur,
    Apprenez que tout flatteur
15 Vit aux dépens[8] de celui qui l'écoute :
Cette leçon vaut bien un fromage, sans doute. »
    Le Corbeau, honteux et confus,
Jura, mais un peu tard, qu'on ne l'y prendrait plus[9].

---

1. *À tout venant :* pour tout le monde.
2. *Ne vous déplaise :* que cela ne vous déplaise pas (formule d'excuse).
3. *Aise :* contente.
4. *Ramage :* chant.
5. *Se rapporte à :* est en rapport avec.
6. *Phénix :* oiseau fabuleux de la mythologie (voir p. 190) grecque, aux couleurs, qui vivait un siècle, puis se jetait dans le feu avant de renaître de cendres. Il évoque ici un oiseau extraordinaire, unique.
7. *Des hôtes de ces bois :* des habitants de ces bois, c'est-à-dire des animaux de la forêt.
8. *Aux dépens de :* aux frais de (le flatteur se fait entretenir par celui qu'il flatte).
9. *Qu'on ne l'y prendrait plus :* qu'il ne se laisserait plus tromper par la flatterie.

3. La Grenouille qui se veut faire aussi grosse que le Bœuf

Une Grenouille vit un Bœuf
Qui lui sembla de belle taille.
Elle, qui n'était pas grosse en tout comme un œuf,
Envieuse, s'étend, et s'enfle, et se travaille[1],
5   Pour égaler l'animal en grosseur,
            Disant : « Regardez bien, ma sœur ;
Est-ce assez? dites-moi; n'y suis-je point encore?
— Nenni[2]. — M'y voici donc? — Point du tout. — M'y
                                        [voilà?
— Vous n'en approchez point. » La chétive pécore[3]
10   S'enfla si bien qu'elle creva.

Le monde est plein de gens qui ne sont pas plus sages :
Tout bourgeois veut bâtir comme les grands seigneurs,
Tout petit prince a des ambassadeurs,
            Tout marquis veut avoir des pages[4].

5. Le Loup et le Chien

Un Loup n'avait que les os et la peau,
            Tant les chiens faisaient bonne garde.
Ce Loup rencontre un Dogue aussi puissant que beau,
Gras, poli[5], qui s'était fourvoyé par mégarde[6].

---

1. *Se travaille :* fait de gros efforts.
2. *Nenni :* non; archaïsme familier (voir p. 187 et 189).
3. *Chétive pécore :* animal (mot burlesque, voir p. 187) qui a peu d'importance, peu de force.
4. *Pages :* jeunes garçons nobles au service des très grands seigneurs.
5. *Poli :* le poil luisant, brillant.
6. *Fourvoyé par mégarde :* perdu par inattention.

5   L'attaquer, le mettre en quartiers[1],
           Sire Loup l'eût fait volontiers ;
           Mais il fallait livrer bataille,
           Et le mâtin[2] était de taille
           À se défendre hardiment.
10   Le Loup donc l'aborde[3] humblement,
Entre en propos[4], et lui fait compliment
           Sur son embonpoint[5], qu'il admire.
           « Il ne tiendra qu'à vous, beau sire,
D'être aussi gras que moi, lui repartit[6] le Chien.
15   Quittez les bois, vous ferez bien :
           Vos pareils y sont misérables,
           Cancres, hères[7] et pauvres diables,
Dont la condition est de mourir de faim.
Car quoi ? rien d'assuré[8] : point de franche lippée[9] ;
20   Tout à la pointe de l'épée[10].
Suivez-moi : vous aurez un bien meilleur destin. »
Le Loup reprit : « Que me faudra-t-il faire ?
— Presque rien, dit le Chien : donner la chasse aux gens
           Portants[11] bâtons, et mendiants ;
25 Flatter ceux du logis, à son maître complaire :
           Moyennant quoi votre salaire
Sera force reliefs de toutes les façons[12],
           Os de poulets, os de pigeons,

---

1. *En quartiers :* en pièces.
2. *Mâtin :* gros chien de garde.
3. *L'aborde :* s'approche de lui.
4. *Entre en propos :* lie conversation.
5. *Embonpoint :* bonne mine.
6. *Lui repartit :* lui répond.
7. *Cancres, hères :* hommes misérables, donc méprisés.
8. *Rien d'assuré :* rien de sûr.
9. *Point de franche lippée :* pas de bon repas, que l'on peut savourer tranquillement (expression populaire).
10. *Tout à la pointe de l'épée :* ils doivent tout se procurer par la guerre, la lutte.
11. *Portants :* portant (le participe présent s'accorde encore au XVIIᵉ siècle).
12. *Force reliefs de toutes les façons :* beaucoup de restes de toute sorte.

Sans parler de mainte caresse[1]. »
30 Le loup déjà se forge une félicité[2]
Qui le fait pleurer de tendresse[3].
Chemin faisant, il vit le col du Chien pelé.
« Qu'est-ce là? lui dit-il. — Rien. — Quoi? rien? — Peu de
[chose.
— Mais encor? — Le collier dont[4] je suis attaché
35 De ce que vous voyez est peut-être la cause.
— Attaché? dit le Loup : vous ne courez donc pas
Où vous voulez? — Pas toujours; mais qu'importe?
— Il importe si bien, que de tous vos repas
Je ne veux en aucune sorte,
40 Et ne voudrais pas même à ce prix un trésor. »
Cela dit, maître Loup s'enfuit, et court encor.

9.   Le Rat de ville et le Rat des champs

Autrefois, le Rat de ville
Invita le Rat des champs,
D'une façon fort civile[5],
À des reliefs d'ortolans[6].

5 Sur un tapis de Turquie
Le couvert se trouva mis.
Je laisse à penser la vie[7]
Que firent ces deux amis.

---

1. *De mainte caresse :* de nombreuses caresses.
2. *Se forge une félicité :* s'imagine un bonheur parfait.
3. *Tendresse :* attendrissement.
4. *Dont :* avec lequel.
5. *Civile :* polie, aimable.
6. *Reliefs d'ortolans :* restes de petits oiseaux dont la chair est très appréciée.
7. *Vie :* bon repas, festin.

Le régal fut fort honnête[1] :
10 Rien ne manquait au festin ;
Mais quelqu'un troubla la fête
Pendant qu'ils étaient en train[2].

À la porte de la salle
Ils entendirent du bruit :
15 Le Rat de ville détale ;
Son camarade le suit.

Le bruit cesse, on se retire :
Rats en campagne aussitôt[3] ;
Et le citadin de dire :
20 « Achevons tout notre rôt[4].

— C'est assez, dit le rustique[5] ;
Demain vous viendrez chez moi.
Ce n'est pas que je me pique[6]
De tous vos festins de roi ;

25 Mais rien ne vient m'interrompre :
Je mange tout à loisir[7].
Adieu donc. Fi du plaisir
Que la crainte peut corrompre[8] ! »

---

1. *Honnête* : convenable.
2. *Pendant qu'ils étaient en train* : pendant qu'ils étaient en train de manger.
3. *Rats en campagne aussitôt* : ils repartent aussitôt en expédition (comme des soldats, vocabulaire militaire).
4. *Rôt* : viande rôtie et, par extension, repas.
5. *Le rustique* : le paysan (adjectif employé comme nom).
6. *Je me pique de* : je me flatte, je me vante d'avoir.
7. *Tout à loisir* : tout à mon aise, en prenant tout mon temps.
8. *Fi... corrompre* : laissons là le plaisir qui peut être gâché par la peur.

10.   Le Loup et l'Agneau

La raison du plus fort est toujours la meilleure :
    Nous l'allons montrer tout à l'heure[1].

        Un Agneau se désaltérait
        Dans le courant d'une onde[2] pure.
5 Un Loup survient à jeun, qui cherchait aventure[3],
Et que la faim en ces lieux attirait.
« Qui[4] te rend si hardi de[5] troubler mon breuvage?
        Dit cet animal plein de rage :
Tu seras châtié de ta témérité[6].
10 — Sire, répond l'Agneau, que votre Majesté
        Ne se mette pas en colère;
        Mais plutôt qu'elle considère
        Que je me vas désaltérant[7]
        Dans le courant,
15   Plus de vingt pas au-dessous d'Elle;
Et que par conséquent, en aucune façon,
        Je ne puis troubler sa boisson.
    — Tu la troubles, reprit cette bête cruelle;
Et je sais que de moi tu médis[8] l'an passé.
20 — Comment l'aurais-je fait si[9] je n'étais pas né?
        Reprit l'Agneau; je tette encor ma mère.
        — Si ce n'est toi, c'est donc ton frère.
    — Je n'en ai point. — C'est donc quelqu'un des tiens;
        Car vous ne m'épargnez guère,

---

1. *Tout à l'heure* : tout de suite.
2. *Onde* : eau (mot poétique).
3. *Aventure* : bonne occasion.
4. *Qui* : qu'est-ce qui ?
5. *Si hardi de* : assez hardi pour.
6. *Tu seras ... témérité* : tu seras puni de ton audace.
7. *Je me vas désaltérant* : je suis en train de boire ; « je vas » pour « je vais » est courant et correct au xviie siècle.
8. *Tu médis* : tu dis du mal.
9. *Si* : puisque.

25   Vous, vos bergers, et vos chiens.
    On me l'a dit : il faut que je me venge. »
            Là-dessus, au fond des forêts
            Le Loup l'emporte, et puis le mange,
            Sans autre forme de procès[1].

16.   La Mort et le Bûcheron

Un pauvre Bûcheron, tout couvert de ramée[2],
Sous le faix[3] du fagot aussi bien que des ans
Gémissant et courbé, marchait à pas pesants,
Et tâchait de gagner sa chaumine[4] enfumée.
5 Enfin, n'en pouvant plus d'effort et de douleur,
Il met bas son fagot, il songe à son malheur.
« Quel plaisir a-t-il eu depuis qu'il est au monde ?
En est-il un plus pauvre en la machine ronde[5] ?
Point de pain quelquefois, et jamais de repos. »
10 Sa femme, ses enfants, les soldats[6], les impôts,
            Le créancier[7] et la corvée[8]
Lui font d'un malheureux la peinture achevée[9].
Il appelle la Mort. Elle vient sans tarder,
            Lui demande ce qu'il faut faire.
15   « C'est, dit-il, afin de m'aider

---

1. *Sans autre forme de procès :* sans attendre, sans discuter davantage ; la « forme » est une formalité à respecter dans la conduite d'un procès (vocabulaire de la justice).
2. *Ramée :* branches coupées avec leurs feuilles.
3. *Faix :* poids.
4. *Chaumine :* chaumière ; archaïsme familier (voir p. 187 et 189).
5. *La machine ronde :* la Terre.
6. *Les soldats :* les paysans devaient loger les soldats, ce qui représentait une très lourde charge. Ceux-ci se livraient parfois à des pillages.
7. *Le créancier :* celui à qui l'on doit de l'argent.
8. *Corvée :* journées de travail non payées pour le seigneur.
9. *Lui font ... achevée :* à cause de tout cela, il ressemble vraiment à quelqu'un de tout à fait malheureux.

À recharger ce bois; tu ne tarderas guère[1]. »

> Le trépas[2] vient tout guérir;
> Mais ne bougeons d'où nous sommes :
> Plutôt souffrir que mourir,
> 20 C'est la devise des hommes.

18. Le Renard et la Cigogne

Compère[3] le Renard se mit un jour en frais[4],
Et retint à dîner commère[5] la Cigogne.
Le régal[6] fut petit et sans beaucoup d'apprêts[7] :
    Le galand[8], pour toute besogne[9],
5 Avait un brouet clair[10]; il vivait chichement[11].
Ce brouet fut par lui servi sur une assiette :
La Cigogne au long bec n'en put attraper miette[12];
Et le drôle[13] eut lapé le tout en un moment.
Pour se venger de cette tromperie,
10 À quelque temps de là, la Cigogne le prie[14].

---

1. *Tu ne tarderas guère :* tu ne perdras pas beaucoup de temps.
2. *Le trépas :* la mort.
3. *Compère :* appellation familière (voir p. 189), utilisée pour quelqu'un de connaissance.
4. *Se mit... en frais :* fit un jour des dépenses inhabituelles.
5. *Commère :* forme féminine de compère.
6. *Le régal :* le banquet, le bon repas.
7. *Apprêts :* préparatifs.
8. *Galand :* délicat, raffiné (ironique ici, voir « ironie », p. 189). L'orthographe actuelle est « galant ».
9. *Besogne :* affaire, chose.
10. *Brouet clair :* mauvais potage fait avec beaucoup d'eau.
11. *Chichement :* pauvrement.
12. *N'en put attraper miette :* ne put rien attraper du tout.
13. *Drôle :* vilain garnement, capable de mauvaises plaisanteries.
14. *Prie :* invite.

« Volontiers, lui dit-il; car avec mes amis
Je ne fais point cérémonie[1]. »
À l'heure dite, il courut au logis
De la Cigogne son hôtesse;
15   Loua très fort la politesse;
Trouva le dîner cuit à point :
Bon appétit surtout; renards n'en manquent point.
Il se réjouissait à l'odeur de la viande
Mise en menus morceaux, et qu'il croyait friande[2].
20   On servit, pour l'embarrasser,
En un vase à long col et d'étroite embouchure.
Le bec de la Cigogne y pouvait bien passer;
Mais le museau du sire était d'autre mesure.
Il lui fallut à jeun retourner au logis,
25 Honteux comme un renard qu'une poule aurait pris,
Serrant la queue, et portant bas l'oreille.

Trompeurs, c'est pour vous que j'écris :
Attendez-vous à la pareille.

22.   Le Chêne et le Roseau

Le Chêne un jour dit au Roseau :
« Vous avez bien sujet d'accuser[3] la nature ;
Un roitelet[4] pour vous est un pesant fardeau :
Le moindre vent, qui d'aventure[5]
5   Fait rider la face de l'eau,
Vous oblige à baisser la tête,

---

1. *Je ne fais point cérémonie :* je ne fais pas de manières.
2. *Friande :* savoureuse.
3. *Vous avez ... d'accuser :* vous avez bien raison d'accuser.
4. *Roitelet :* le plus petit oiseau européen.
5. *D'aventure :* par hasard.

Cependant que[1] mon front, au Caucase pareil[2],
Non content d'arrêter les rayons du soleil,
      Brave l'effort de la tempête.
10 Tout vous est aquilon[3], tout me semble zéphyr[4].
Encor si vous naissiez à l'abri du feuillage
        Dont je couvre le voisinage,
        Vous n'auriez pas tant à souffrir :
        Je vous défendrais de l'orage;
15   Mais vous naissez le plus souvent
Sur les humides bords des royaumes du vent[5].
La nature envers vous me semble bien injuste.
— Votre compassion[6], lui répondit l'arbuste,
Part d'un bon naturel[7], mais quittez ce souci :
20   Les vents me sont moins qu'à vous redoutables;
Je plie et ne romps pas. Vous avez jusqu'ici
        Contre leurs coups épouvantables
        Résisté sans courber le dos;
Mais attendons la fin. » Comme il disait ces mots,
25 Du bout de l'horizon accourt avec furie
        Le plus terrible des enfants
Que le Nord eût portés jusque-là dans ses flancs[8].
        L'arbre tient bon; le Roseau plie.
        Le vent redouble ses efforts,
30   Et fait si bien qu'il déracine
Celui de qui la tête au ciel était voisine[9],
Et dont les pieds touchaient à l'empire des morts.

---

1. *Cependant que* : alors que.
2. *Au Caucase pareil* : pareil à une montagne (le Caucase est une chaîne de montagnes du sud de l'U.R.S.S.).
3. *Aquilon* : vent du nord, violent et froid.
4. *Zéphyr* : brise douce et tiède.
5. *Des royaumes du vent* : des marais et rivières.
6. *Compassion* : pitié.
7. *Un bon naturel* : un caractère gentil.
8. Le vent est comparé à un enfant, dont les pays du Nord seraient la mère (« porter dans ses flancs » veut dire porter un enfant dans son ventre).
9. *La tête ... voisine* : la tête était voisine du ciel.

Livre I

LA CIGALE ET LA FOURMI

1. Les animaux, masques de l'homme : quelles sont les erreurs de La Fontaine dans le domaine de la biologie ? Relevez les mots concrets concernant la vie animale et les mots concernant la vie humaine ; à quel vocabulaire spécialisé appartiennent ces derniers ?
Quel défaut représente la Fourmi ? la Cigale ? Approuvez-vous les gravures qui font de la Cigale et de la Fourmi deux femmes ?

2. La brièveté : quel est le mètre choisi (voir p. 22) ? Quelle impression ce mètre donne-t-il ? Qu'est-ce que le vers 2 a de particulier ? Examinez le rythme et les enjambements (voir p. 27).
Pourquoi n'y a-t-il pas de morale (voir p. 190) ? Laquelle imaginez-vous ?

3. Le dialogue : relevez un exemple de discours direct, de discours indirect, de récit de paroles (voir p. 188). Le personnage qui affirme le vers 16 est-il le narrateur (voir p. 190) ou la Fourmi ?
Les vers 21-22 sont ce qu'on appelle un « trait » (voir p. 191); montrez-en la drôlerie et la dureté.

LE CORBEAU ET LE RENARD

1. Relevez les différents noms que le Renard attribue au Corbeau ; à votre avis, pourquoi ces changements ? Cherchez tout ce qui témoigne de l'habileté du Renard en matière de flatterie.

2. Le langage du fabuliste : relevez les rimes en -age et celles en -oi et expliquez comment ces mots mettent en lumière le sujet. Trouvez les sonorités qui évoquent le chant du Corbeau.

3. Montrez, en vous appuyant sur des exemples précis, que les différents mètres et coupes choisis (voir p. 22) donnent beaucoup de dynamisme et de variété au rythme de l'action.

4. Qui tire la morale de l'histoire (voir p. 190) ? Qui parle dans les deux derniers vers ?
Que pensez-vous de la critique de Jean-Jacques Rousseau : « Je

demande si c'est à des enfants de six ans qu'il faut apprendre qu'il y a des hommes qui flattent et qui mentent pour leur profit ? [...] On leur apprend moins à ne pas le laisser tomber de leur bec qu'à le faire tomber du bec d'un autre. » ?
Est-ce vraiment la ruse qui est condamnée ici ?

LA GRENOUILLE QUI SE VEUT FAIRE AUSSI GROSSE QUE LE BŒUF

1. Le rythme : étudiez le choix des vers courts ou des vers longs, le rythme haletant de certains vers (lesquels ?) aux coupes très originales ; l'effet du vers 10 avec son enjambement (voir p. 27).

2. Montrez que le rythme de la morale (voir p. 190) contraste avec celui du récit ; pourquoi y a-t-il un changement de ton, à votre avis ? Qui prononce cette morale ?

3. Expliquez comment les liens entre l'animal et l'homme sont manifestés. Quel est le rapport entre cette fable et la précédente ?

LE LOUP ET L'AGNEAU

1. Pourquoi la morale (voir p. 190) est-elle, cette fois-ci, placée en tête (voir v. 29) ? Qui désigne le « nous » du vers 2 ? Le premier vers est davantage une constatation qu'une morale ; quel conseil faut-il en tirer ?

2. Le décor : comment La Fontaine a-t-il créé un cadre agréable à son récit ? Expliquez l'effet qu'il cherche ainsi à produire.

3. Relevez dans le dialogue les mots qui soulignent la brutalité du fort face au faible.

4. Étudiez les arguments du Loup et les réponses de l'Agneau ; qui est dans son bon droit ? Comment la mauvaise foi du Loup se révèle-t-elle ?

5. Montrez comment La Fontaine fait entrer le dialogue dans les vers (coupes, enjambements, voir p. 22 et suivantes).

6. La fin de la fable : en quoi le mot « procès » est-il bien choisi ? N'est-il pas étonnant que le Loup n'ait pas commencé par là ? Pourquoi a-t-il discuté avec l'agneau ? Pouvez-vous dire que cette fin est une chute (voir p. 187) ?

LA MORT ET LE BÛCHERON

1. Le genre (voir p. 189) : s'agit-il vraiment d'une fable ou plutôt d'un conte ? Observez les péripéties (voir p. 190) du récit, les personnages... Les vers 17 à 20 correspondent-ils à une morale (voir p. 190) au sens habituel du mot ?

2. La peinture de la misère : relevez les mots qui indiquent le malheur et la souffrance. Montrez que le rythme et les sonorités des vers 1 à 6 évoquent les pas pesants du pauvre Bûcheron. Relevez tout ce qui est dit au sujet des charges qui pesaient alors sur le peuple ; à votre avis, pourquoi le rythme s'accélère-t-il dans les vers 10 à 12 ?

3. L'humour : à quels endroits le sourire du fabuliste est-il reconnaissable ? Quelle impression avez-vous à la lecture des vers 15-16 ?

LE CHÊNE ET LE ROSEAU

1. Relevez les expressions décrivant le paysage. Montrez que cette description est très littéraire, par les allusions à l'Antiquité et par les personnifications (voir p. 190).

2. Puissants et misérables : relevez toutes les images qui font comprendre la faiblesse du Roseau et la puissance du Chêne.

3. Montrez que le discours du Chêne est très logique, faites-en le plan en vous aidant des mots de liaison (cependant que, encor[e] si, mais).

4. En quoi humilité et confiance en soi se mêlent-elles dans le discours du Roseau ? Pourquoi peut-on dire qu'une certaine ironie (voir p. 189) tranquille ressort de ce mélange ?

5. Quelle est la morale (voir p. 190) à tirer de cette fable ? Le ton du récit est-il comique ou dramatique ? léger ou solennel ? Justifiez votre réponse avec des exemples tirés du texte.

Livre II

2. Conseil tenu par les Rats

Un Chat, nommé Rodilardus[1],
Faisait des rats telle déconfiture[2],
      Que l'on n'en voyait presque plus,
Tant il en avait mis dedans la sépulture[3].
5   Le peu qu'il en restait, n'osant quitter son trou,
Ne trouvait à manger que le quart de son soû[4],
Et Rodilard passait, chez la gent misérable[5],
      Non pour un chat, mais pour un diable.
      Or un jour qu'au haut et au loin
10   Le galand[6] alla chercher femme,
Pendant tout le sabbat[7] qu'il fit avec sa dame,
Le demeurant[8] des Rats tint chapitre[9] en un coin
      Sur la nécessité présente[10].
Dès l'abord, leur Doyen[11], personne fort prudente,

---

1. *Rodilardus* : « ronge-lard » en latin de fantaisie (emprunt à Rabelais, écrivain du XVIᵉ siècle.)
2. *Déconfiture* : déroute, fuite d'une armée.
3. *Dedans la sépulture* : dans la tombe.
4. *Le quart de son soû* : le quart de ce qui lui aurait été nécessaire pour contenter son appétit.
5. *La gent misérable* : la race, la nation malheureuse.
6. *Le galand* : l'amateur de femmes (orthographe actuelle : « galant »).
7. *Sabbat* : vacarme, tapage (comme celui que font les sorciers et sorcières).
8. *Le demeurant* : le reste.
9. *Tint chapitre* : tint une assemblée.
10. *La nécessité présente* : la situation difficile dans laquelle ils se trouvent.
11. *Doyen* : membre le plus ancien qui joue le rôle de président.

15 Opina[1] qu'il fallait, et plus tôt que plus tard,
Attacher un grelot au cou de Rodilard;
    Qu'ainsi, quand il irait en guerre,
De sa marche avertis, ils s'enfuiraient en terre;
    Qu'il n'y savait que ce moyen.
20 Chacun fut de l'avis de Monsieur le Doyen :
Chose ne leur[2] parut à tous plus salutaire[3].
La difficulté fut d'attacher le grelot.
L'un dit : « Je n'y vas[4] point, je ne suis pas si sot »;
L'autre : « Je ne saurais. » Si bien que sans rien faire
25 On se quitta. J'ai maints[5] chapitres vus[6],
Qui pour néant[7] se sont ainsi tenus;
Chapitres, non de rats, mais chapitres de moines,
    Voire[8] chapitres de chanoines[9].
    Ne faut-il que délibérer[10],
30   La cour en conseillers foisonne[11];
    Est-il besoin d'exécuter[12],
    L'on ne rencontre plus personne.

---

1. *Opina* : fut d'avis (mot employé surtout pour désigner l'avis prononcé dans une assemblée).
2. *Chose ne leur...* : rien ne leur...
3. *Salutaire* : capable de les sauver.
4. *Vas* : vais (emploi courant).
5. *Maints* : beaucoup de.
6. *Vus* : le participe passé s'accorde parce que le complément d'objet direct (« chapitres ») est placé avant lui par inversion.
7. *Néant* : rien.
8. *Voire* : et même.
9. *Chanoines* : prêtres de rang assez élevé, qui assistent l'évêque.
10. *Délibérer* : discuter.
11. *La Cour ... foisonne* : le parlement a beaucoup de conseillers.
12. *Est-il besoin d'exécuter* : quand il faut agir.

5. La Chauve-Souris et les deux Belettes

Une Chauve-Souris donna tête baissée
Dans un nid de Belette; et sitôt qu'elle y fut,
L'autre, envers les souris de longtemps[1] courroucée,
    Pour la dévorer accourut.
5 « Quoi? vous osez, dit-elle, à mes yeux vous produire[2],
Après que votre race a tâché de me nuire!
N'êtes-vous pas souris? Parlez sans fiction[3].
Oui, vous l'êtes, ou bien je ne suis pas belette.
    — Pardonnez-moi, dit la pauvrette,
10   Ce n'est pas ma profession[4].
Moi souris! Des méchants vous ont dit ces nouvelles.
    Grâce à l'auteur de l'univers,
    Je suis oiseau; voyez mes ailes :
    Vive la gent[5] qui fend les airs! »
15   Sa raison plut, et sembla bonne.
    Elle fait si bien qu'on lui donne
    Liberté de se retirer.
    Deux jours après, notre étourdie
    Aveuglément se va fourrer
20 Chez une autre Belette, aux oiseaux ennemie[6].
La voilà derechef[7] en danger de sa vie.
La dame du logis avec son long museau
S'en allait la croquer en qualité d'oiseau,
Quand elle protesta qu'on lui faisait outrage[8] :
25 « Moi, pour telle passer! Vous n'y regardez pas.

---

1. *De longtemps :* depuis longtemps.
2. *Vous produire :* vous présenter.
3. *Sans fiction :* sans mensonge.
4. *Ma profession :* ce que je déclare être.
5. *La gent :* la race.
6. *Aux oiseaux ennemie :* ennemie des oiseaux.
7. *Derechef :* de nouveau.
8. *Outrage :* injure.

Qui[1] fait l'oiseau? c'est le plumage.
Je suis souris : vivent les rats!
Jupiter confonde les chats[2]! »
Par cette adroite repartie[3]
30   Elle sauva deux fois sa vie.

Plusieurs se sont trouvés qui, d'écharpe[4] changeants[5],
Aux dangers, ainsi qu'elle, ont souvent fait la figue[6].
      Le sage dit, selon les gens :
      « Vive le Roi! Vive la Ligue[7]! »

7. La Lice et sa Compagne

      Une Lice[8] étant sur son terme[9],
Et ne sachant où mettre un fardeau si pressant,
Fait si bien qu'à la fin sa Compagne consent
De lui prêter sa hutte, où la Lice s'enferme.
5 Au bout de quelque temps sa Compagne revient.
La Lice lui demande encore une quinzaine;
Ses petits ne marchaient, disait-elle, qu'à peine.
      Pour faire court[10], elle l'obtient.

---

1. *Qui :* qu'est-ce qui ?
2. *Jupiter confonde les chats!* : que Jupiter mette la confusion chez les chats.
3. *Repartie :* réponse.
4. *Écharpe :* elle servit de signe de reconnaissance aux membres d'un même camp pendant les guerres de Religion.
5. *Changeants :* changeant (le participe s'accorde au XVIIe siècle).
6. *Fait la figue :* fait la nique; nargué (expression grossière).
7. *La Ligue :* parti catholique opposé au roi de France pendant les guerres de Religion.
8. *Lice :* femelle d'un chien de chasse.
9. *Sur son terme :* sur le point d'avoir des petits.
10. *Pour faire court :* bref.

Ce second terme échu[1], l'autre lui redemande
10   Sa maison, sa chambre, son lit.
La Lice cette fois montre les dents, et dit :
« Je suis prête à sortir avec toute ma bande,
   Si vous pouvez nous mettre hors. »
   Ses enfants étaient déjà forts.

15 Ce qu'on donne aux méchants, toujours on le regrette.
   Pour tirer d'eux[2] ce qu'on leur prête,
   Il faut que l'on en vienne aux coups;
   Il faut plaider, il faut combattre.
   Laissez-leur prendre un pied chez vous,
20   Ils en auront bientôt pris quatre.

9. Le Lion et le Moucheron

« Va-t'en, chétif[3] insecte, excrément de la terre! »
   C'est en ces mots que le Lion
   Parlait un jour au Moucheron.
   L'autre lui déclara la guerre.
5 « Penses-tu, lui dit-il, que ton titre de roi
   Me fasse peur ni me soucie[4]?
   Un bœuf est plus puissant[5] que toi :
   Je le mène à ma fantaisie. »
   À peine il achevait ces mots
10   Que lui-même il sonna la charge[6],
   Fut le trompette[7] et le héros.

---

1. *Ce second terme échu :* ce second délai passé.
2. *Tirer d'eux :* se faire restituer par eux.
3. *Chétif :* de peu d'importance, peu de force.
4. *Ni me soucie :* et m'inquiète.
5. *Puissant :* robuste et de grande taille.
6. *Il sonna la charge :* il donna le signal de l'attaque (vocabulaire militaire).
7. *Le trompette :* le soldat qui sonne de la trompette.

Dans l'abord[1] il se met au large[2] ;
Puis prend son temps[3], fond sur le cou
Du Lion, qu'il rend presque fou.
15 Le quadrupède écume, et son œil étincelle ;
Il rugit ; on se cache, on tremble à l'environ ;
Et cette alarme universelle
Est l'ouvrage d'un moucheron.
Un avorton[4] de mouche en cent lieux le harcelle :
20 Tantôt pique l'échine, et tantôt le museau,
Tantôt entre au fond du naseau.
La rage alors se trouve à son faîte[5] montée.
L'invisible ennemi triomphe, et rit de voir
Qu'il n'est griffe ni dent en la bête irritée
25 Qui de la mettre en sang ne fasse son devoir.
Le malheureux Lion se déchire lui-même,
Fait résonner sa queue à l'entour de ses flancs,
Bat l'air, qui n'en peut mais[6], et sa fureur extrême
Le fatigue, l'abat : le voilà sur les dents[7].
30 L'insecte du combat se retire avec gloire :
Comme il sonna la charge, il sonne la victoire,
Va partout l'annoncer, et rencontre en chemin
L'embuscade[8] d'une araignée ;
Il y rencontre aussi sa fin.

35 Quelle chose par là nous peut être enseignée ?
J'en vois deux, dont l'une est qu'entre nos ennemis
Les plus à craindre sont souvent les plus petits ;
L'autre, qu'aux grands périls tel a pu se soustraire,
Qui périt pour la moindre affaire.

---

1. *Dans l'abord* : dans l'attaque.
2. *Il se met au large* : il recule pour prendre de l'élan.
3. *Prend son temps* : choisit le moment favorable.
4. *Un avorton* : un animal très petit, faible, mal formé.
5. *À son faîte* : à son sommet.
6. *Qui n'en peut mais* : qui n'y est pour rien.
7. *Le voilà sur les dents* : épuisé.
8. *L'embuscade* : le piège.

10. L'Âne chargé d'éponges, et l'Âne chargé de sel

Un ânier, son sceptre[1] à la main,
Menait, en empereur romain,
Deux coursiers à longues oreilles.
L'un, d'éponges chargé, marchait comme un courrier[2],
5   Et l'autre, se faisant prier,
Portait, comme on dit, les bouteilles[3] :
Sa charge était de sel. Nos gaillards pèlerins[4],
Par monts, par vaux, et par chemins,
Au gué d'une rivière à la fin arrivèrent,
10   Et fort empêchés[5] se trouvèrent.
L'ânier, qui tous les jours traversait ce gué-là,
Sur l'Âne à l'éponge monta,
Chassant devant lui l'autre bête,
Qui, voulant en faire à sa tête,
15   Dans un trou se précipita,
Revint sur l'eau, puis échappa ;
Car, au bout de quelques nagées[6],
Tout son sel se fondit si bien
Que le baudet ne sentit rien
20   Sur ses épaules soulagées.
Camarade épongier prit exemple sur lui,
Comme un mouton qui va dessus la foi d'autrui[7].
Voilà mon Âne à l'eau ; jusqu'au col il se plonge,
Lui, le conducteur et l'éponge.

---

1. *Sceptre* : employé pour bâton (style burlesque, voir p. 187).
2. *Courrier* : quelqu'un qui va à grande allure pour porter des lettres urgentes.
3. *Portait ... les bouteilles* : marchait avec précaution comme quelqu'un qui porte des bouteilles (expression familière, voir p. 189).
4. *Gaillards pèlerins* : voyageurs de bonne humeur.
5. *Empêchés* : gênés.
6. *Nagées* : espace franchi à la nage (mot créé par La Fontaine).
7. *Qui va ... d'autrui* : qui se fie à l'exemple des autres.

L'Âne chargé d'éponges, et l'Âne chargé de sel.
Illustration anonyme. Collection privée.

25 Tous trois burent d'autant[1] : l'ânier et le grison[2]
        Firent à l'éponge raison[3].
        Celle-ci devint si pesante,
        Et de tant d'eau s'emplit d'abord[4],
Que l'Âne succombant ne put gagner le bord.
30   L'ânier l'embrassait[5], dans l'attente
        D'une prompte et certaine mort.
Quelqu'un vint au secours : qui ce fut, il n'importe;
C'est assez qu'on ait vu par là qu'il ne faut point
        Agir chacun de même sorte.
35   J'en voulais venir à ce point.

---

1. *D'autant :* beaucoup (style familier, voir p. 189).
2. *Le grison :* l'âne.
3. *Faire raison :* boire autant que le buveur avec lequel on a engagé le défi.
4. *D'abord :* dès le début.
5. *L'embrassait :* le serrait dans ses bras.

11. Le Lion et le Rat
12. La Colombe et la Fourmi

Il faut, autant qu'on peut, obliger[1] tout le monde :
On a souvent besoin d'un plus petit que soi.
De cette vérité deux fables feront foi[2],
      Tant la chose en preuves abonde[3].

5   Entre les pattes d'un Lion
Un Rat sortit de terre assez à l'étourdie[4].
Le roi des animaux, en cette occasion,
Montra ce qu'il était[5], et lui donna la vie.
      Ce bienfait ne fut pas perdu.
10   Quelqu'un aurait-il jamais cru
      Qu'un Lion d'un Rat eût affaire[6]?
Cependant il avint[7] qu'au sortir des forêts
      Ce Lion fut pris dans des rets[8],
Dont ses rugissements ne le purent défaire.
15 Sire Rat accourut, et fit tant par ses dents
Qu'une maille rongée[9] emporta tout l'ouvrage.
      Patience et longueur de temps
      Font plus que force ni[10] que rage.

L'autre exemple est tiré d'animaux plus petits.

---

1. *Obliger :* rendre service à.
2. *De cette vérité ... foi :* deux fables prouveront cette vérité.
3. *La chose en preuves abonde :* il y a beaucoup de preuves.
4. *Assez à l'étourdie :* assez étourdiment.
5. *Montra ce qu'il était :* montra qu'il était royal.
6. *Eût affaire :* eût besoin.
7. *Il avint :* il arriva.
8. *Des rets :* des filets.
9. *Une maille rongée :* le fait d'avoir rongé une maille.
10. *Ni :* et.

20   Le long d'un clair ruisseau buvait une Colombe,
     Quand sur l'eau se penchant une Fourmis[1] y tombe.
     Et dans cet océan l'on eût vu la Fourmis[2]
     S'efforcer, mais en vain, de regagner la rive.
     La Colombe aussitôt usa de charité :
25   Un brin d'herbe dans l'eau par elle étant jeté,
     Ce fut un promontoire où la fourmis arrive[3].
             Elle se sauve[4]; et là-dessus
     Passe un certain croquant[5] qui marchait les pieds nus.
     Ce croquant, par hasard, avait une arbalète[6].
30   Dès qu'il voit l'oiseau de Vénus[7],
     Il le croit en son pot, et déjà lui fait fête.
     Tandis qu'à le tuer mon villageois s'apprête,
           La fourmis le pique au talon.
           Le vilain[8] retourne la tête :
35   La Colombe l'entend, part, et tire de long[9].
     Le soupé du croquant avec elle s'envole :
           Point de pigeon pour une obole[10].

---

1. *Une fourmis :* La Fontaine met ici un « s » à fourmi pour éviter l'hiatus comme au vers 26 (voir p. 24).
2. *La fourmis :* le « s » permet la rime avec « petits », vers 19, p. 63.
3. *Arrive :* aborde la rive.
4. *Se sauve :* sauve sa vie.
5. *Un croquant :* paysan misérable (péjoratif, voir p. 190).
6. *Arbalète :* sorte d'arc, plus puissant.
7. *Oiseau de Vénus :* la colombe est l'oiseau de la déesse latine de l'Amour, Vénus.
8. *Le vilain :* le paysan (archaïsme, voir p. 187).
9. *Tire de long :* s'enfuit à tire d'aile (langue populaire).
10. *Point de pigeon pour une obole :* il n'en aura même pas pour le prix de la plus petite pièce de monnaie (l'obole était la plus petite pièce grecque).

14.   Le Lièvre et les Grenouilles

Un Lièvre en son gîte songeait
(Car que faire en un gîte, à moins que l'on ne songe?);
Dans un profond ennui[1] ce Lièvre se plongeait :
Cet animal est triste, et la crainte le ronge.
5   « Les gens de naturel peureux
         Sont, disait-il, bien malheureux.
Ils ne sauraient manger morceau qui leur profite[2];
Jamais un plaisir pur; toujours assauts[3] divers.
Voilà comme je vis : cette crainte maudite
10 M'empêche de dormir, sinon les yeux ouverts.
— Corrigez-vous, dira quelque sage cervelle.
         — Et la peur se corrige-t-elle?
         Je crois même qu'en bonne foi
         Les hommes ont peur comme moi. »
15   Ainsi raisonnait notre Lièvre,
         Et cependant[4] faisait le guet.
         Il était douteux[5], inquiet[6] :
Un souffle, une ombre, un rien, tout lui donnait la fièvre.
         Le mélancolique animal,
20   En rêvant à[7] cette matière,
Entend un léger bruit : ce lui fut un signal
         Pour s'enfuir devers[8] sa tanière.
Il s'en alla passer sur le bord d'un étang.
Grenouilles aussitôt de sauter[9] dans les ondes;

---

1. *Ennui :* tourment, angoisse (sens fort).
2. *Manger ... profite :* manger quelque chose qui leur permette de grossir, de se développer.
3. *Assauts :* chocs, épreuves.
4. *Cependant :* pendant ce temps.
5. *Douteux :* craintif, méfiant.
6. *Inquiet :* agité.
7. *Rêvant à :* réfléchissant à.
8. *Devers :* du côté de.
9. *Grenouilles ... sauter :* les grenouilles sautent aussitôt (même chose au vers suivant).

25 Grenouilles de rentrer en leurs grottes profondes.
           « Oh! dit-il, j'en fais faire autant
           Qu'on m'en fait faire! Ma présence
Effraie aussi les gens! je mets l'alarme au camp!
           Et d'où me vient cette vaillance?
30 Comment? des animaux qui tremblent devant moi!
           Je suis donc un foudre de guerre[1]!
Il n'est, je le vois bien, si poltron sur la terre
Qui ne puisse trouver un plus poltron que soi. »

---

1. *Un foudre de guerre* : un guerrier redoutable comme la foudre (foudre est masculin au XVIIᵉ siècle).

Livre II

CONSEIL TENU PAR LES RATS

1. Des rats moines : montrez que, dans tout le poème, les Rats sont comparés à des moines. De quels défauts font-ils la preuve ?

2. Le Doyen parle d'un ton grave et raisonnable ; pourtant, son idée est absolument impossible à réaliser ; quel effet produit ce contraste ?

3. Comment La Fontaine rapporte-t-il les paroles des Rats ? Pourquoi passe-t-on (v. 23 et suivants) du discours indirect au discours direct (voir p. 188) ?

4. Réécrivez la morale (voir p. 190) sous une forme plus simple. Montrez les effets de style et de versification qui la lient très étroitement au récit.

LA CHAUVE-SOURIS ET LES DEUX BELETTES

1. Une fable double : quels sont les deux mètres utilisés (voir p. 22) ? Relevez les vers qui vont deux par deux (parce qu'ils se ressemblent, comme les vers 3 et 20).

2. Une habile défense : étudiez les arguments de la Chauve-Souris. Montrez comment La Fontaine établit une opposition entre la violence première de la Belette (rythmes, vocabulaire des vers 5 à 8) et son attitude après avoir écouté la Chauve-Souris (15 à 17).

3. Notez la différence plaisante entre le vocabulaire familier (voir p. 189) du récit et le langage soutenu dont usent les animaux ; donnez des exemples.

4. Que peut-on reprocher à cette morale (voir p. 190) ?

LE LION ET LE MOUCHERON

1. L'art des oppositions : montrez comment La Fontaine souligne la différence entre les deux animaux.
Le vocabulaire de la guerre et du récit épique (voir p. 188) est utilisé ici pour décrire les exploits d'un moucheron ; relevez ces mots ; quelle impression cela produit-il ? Relevez également les mots qui

soulignent l'opposition entre la cause (le Moucheron) et les conséquences.

Montrez comment les changements de vers soulignent les diverses étapes du « combat ».

2. L'action : dans la chute (voir p. 187) de cette fable, quel trait de caractère est-il puni ? Relevez les détails qui préparent cette conclusion (v. 5 à 8).

3. Comment La Fontaine rend-il dynamique la description du combat (vocabulaire, coupes, énumération, enjambements, voir p. 27) ? Montrez, en étudiant la ponctuation, que le rythme de la morale est volontairement ralenti, après ce combat haletant.

4. Deux fables pour une morale : citez les ressemblances et les différences entre ces deux dernières fables, dans le sujet et dans la forme.

Relevez tous les vers qui évoquent des proverbes ou qui en sont devenus.

LE LION ET LE RAT

1. Quel est ici le caractère du Lion ? Comment comprenez-vous « montra ce qu'il était » (v. 8) ?

2. Comparez les vers 5-6 et 12-13 : comment est soulignée la différence sociale entre le Lion et le Rat ?

3. Le principe de la brièveté : montrez que seul l'essentiel est dit ici. À quoi servent les vers 10-11 ?

4. Les vers 17-18 apportent-ils une autre morale (voir p. 190) ?

LA COLOMBE ET LA FOURMI

Relevez les mots qui donnent à la première partie (v. 20 à 26) un caractère un peu dramatique. Montrez que l'action du villageois est racontée avec un ton, un vocabulaire et un rythme différents. Quel rappel du vocabulaire précédent sert à faire le lien entre ces deux épisodes (v. 30) ?

LE LIÈVRE ET LES GRENOUILLES

1. Relevez tous les mots composant le champ lexical (voir p. 187) de la peur. Par quels autres moyens La Fontaine rend-il sensible l'angoisse

du Lièvre (rythme, forme des phrases) ? Justifiez votre réponse en citant des phrases du texte.

2. L'ironie (voir p. 189). L'impression produite par les vers 2, 11, 13 à 15, 29, 31 est-elle la même que celle produite par le reste du texte ? Quels tons mélange ici La Fontaine ?

3. Quel sentiment évoquent en vous toutes les exclamations des vers 26 à 31 ?

4. Pourquoi est-ce le Lièvre qui tire la morale (voir p. 190) ? Est-il si vaniteux qu'il le paraît dans les vers précédents ? Le trouvez-vous sympathique ?

LIVRE TROISIESME.

FABLE PREMIERE.

Le Meufnier, fon Fils, & leur Afne.
A. M. D. M.

L'Invention des Arts eftant un droit d'aîneſſe,
Nous devons l'Apologue à l'ancienne Grece :
Mais ce champ ne fe peut tellement moiſſonner,
Que les derniers venus n'y trouvent à glaner.
La Feinte eft un pays plein de terres defertes:

Le Meunier, son Fils et l'Âne.
Fac-similé d'une page de l'édition des *Fables* de 1688
illustrée par François Chauveau (1613-1676).

Livre III

1. Le Meunier, son Fils et l'Âne

L'invention des arts étant un droit d'aînesse[2],
Nous devons l'apologue[3] à l'ancienne Grèce;
Mais ce champ[4] ne se peut tellement moissonner
Que les derniers venus n'y trouvent à glaner[5].
5 La feinte[6] est un pays plein de terres désertes[7];
Tous les jours nos auteurs[8] y font des découvertes.
Je t'en veux dire un trait[9] assez bien inventé :
Autrefois à Racan[10] Malherbe[11] l'a conté.
Ces deux rivaux d'Horace[12], héritiers de sa lyre[13],
10 Disciples d'Apollon, nos maîtres, pour mieux dire,
Se rencontrant un jour tout seuls et sans témoins

---

1. *À M.D.M.* : à M. de Maucroix, ami de La Fontaine.
2. *Droit d'aînesse* : les privilèges accordés au premier-né. Les Grecs de l'Antiquité, nos aînés, ont reçu le privilège d'être les inventeurs des arts.
3. *Apologue* : voir p. 187.
4. *Ce champ* : ce domaine littéraire.
5. *Glaner* : ramasser les épis qui restent encore après la moisson.
6. *La feinte* : la fiction, ce qui est du domaine de l'imagination.
7. *Désertes* : non explorées.
8. *Nos auteurs* : les auteurs modernes.
9. *Un trait* : une formule amusante.
10. *Racan* : auteur de *Bergeries* (1589-1670).
11. *Malherbe* : auteur d'*Odes* et réformateur de la poésie (1555-1628).
12. *Horace* : poète latin (65-8 av. J.-C.)
13. *Sa lyre* : métaphore (voir p. 189) pour dire son art poétique (la lyre est l'instrument de musique d'Apollon, dieu gréco-latin des Arts).

(Comme ils se confiaient leurs pensers et leurs soins[1]),
Racan commence ainsi : « Dites-moi, je vous prie,
Vous qui devez savoir les choses de la vie,
15 Qui par tous ses degrés[2] avez déjà passé,
Et que rien ne doit fuir[3] en cet âge avancé,
À quoi me résoudrai-je? Il est temps que j'y pense.
Vous connaissez mon bien, mon talent, ma naissance[4] :
Dois-je dans la province établir mon séjour,
20 Prendre emploi dans l'armée, ou bien charge à la cour?
Tout au monde est mêlé d'amertume et de charmes :
La guerre a ses douceurs, l'hymen a ses alarmes[5].
Si je suivais mon goût, je saurais où buter[6];
Mais j'ai les miens, la cour, le peuple[7] à contenter. »
25 Malherbe là-dessus : « Contenter tout le monde!
Écoutez ce récit avant que je réponde.

« J'ai lu dans quelque endroit qu'un Meunier et son Fils,
L'un vieillard, l'autre enfant, non pas des plus petits,
Mais garçon de quinze ans, si j'ai bonne mémoire,
30 Allaient vendre leur Âne, un certain jour de foire.
Afin qu'il fût plus frais et de meilleur débit[8],
On lui lia les pieds, on vous le suspendit;
Puis cet homme et son fils le portent comme un lustre[9].
Pauvres gens, idiots[10], couple ignorant et rustre[11]!

---

1. *Soins* : soucis.
2. *Degrés* : différents âges.
3. *Que rien ne doit fuir* : à qui rien ne peut échapper.
4. *Mon bien ... naissance* : ma fortune, mes capacités, mes origines familiales.
5. *L'hymen a ses alarmes* : le mariage a ses craintes, ses inquiétudes.
6. *Où buter* : à quel but tendre.
7. *Peuple* : public.
8. *De meilleur débit* : d'une vente plus facile et plus rentable.
9. *Le portent comme un lustre* : le portent avec précaution, comme un objet fragile (et suspendu comme un lustre).
10. *Idiots* : naïfs.
11. *Rustre* : d'intelligence lourde.

35 Le premier qui les vit de rire s'éclata :
    « Quelle farce, dit-il, vont jouer ces gens-là ?
    Le plus âne des trois n'est pas celui qu'on pense. »
    Le Meunier, à ces mots, connaît[1] son ignorance;
    Il met sur pieds sa bête et la fait détaler.
40 L'Âne, qui goûtait fort l'autre façon d'aller,
    Se plaint en son patois. Le Meunier n'en a cure[2];
    Il fait monter son fils, il suit, et d'aventure[3]
    Passent trois bons[4] marchands. Cet objet[5] leur déplut.
    Le plus vieux au garçon s'écria tant qu'il put :
45 « Oh là ! oh, descendez, que l'on ne vous le dise[6],
    Jeune homme, qui menez laquais à barbe grise[7],
    C'était à vous de suivre, au vieillard de monter.
    — Messieurs, dit le Meunier, il vous faut contenter. »
    L'enfant met pied à terre, et puis le vieillard monte,
50 Quand trois filles passant, l'une dit : « C'est grand' honte
    Qu'il faille voir ainsi clocher[8] le jeune Fils,
    Tandis que ce nigaud, comme un évêque assis,
    Fait le veau sur son Âne, et pense être bien sage.
    — Il n'est, dit le Meunier, plus de veaux à mon âge :
55 Passez votre chemin, la fille, et m'en croyez. »
    Après maints quolibets[9] coup sur coup renvoyés,
    L'homme crut avoir tort et mit son fils en croupe.
    Au bout de trente pas, une troisième troupe
    Trouve encore à gloser[10]. L'un dit : « Ces gens sont fous !
60 Le baudet n'en peut plus; il mourra sous leurs coups.

---

1. *Connaît* : reconnaît, se rend compte de.
2. *N'en a cure* : ne s'en soucie pas (style burlesque, voir p. 187).
3. *D'aventure* : par hasard.
4. *Bons* : riches, qui ont le sens des affaires.
5. *Objet* : tout ce qui tombe sous les yeux, spectacle.
6. *Que l'on ne vous le dise* : sans qu'on ait à vous le dire.
7. *Qui... grise* : le vieux père marche derrière, comme s'il était un domestique.
8. *Clocher* : clopiner, boiter.
9. *Maints quolibets* : beaucoup de plaisanteries (plutôt vulgaires).
10. *Gloser* : critiquer.

Hé quoi? charger ainsi cette pauvre bourrique!
N'ont-ils point de pitié de leur vieux domestique?
Sans doute[1] qu'à la foire ils vont vendre sa peau.
— Parbieu[2]! dit le Meunier, est bien fou du cerveau
65 Qui prétend contenter tout le monde et son père.
Essayons toutefois si par quelque manière
Nous en viendrons à bout. » Ils descendent tous deux.
L'Âne se prélassant[3] marche seul devant eux.
Un quidam[4] les rencontre, et dit : « Est-ce la mode
70 Que Baudet aille à l'aise, et Meunier s'incommode?
Qui de l'âne ou du maître est fait pour se lasser?
Je conseille à ces gens de le faire enchâsser[5].
Ils usent leurs souliers et conservent leur âne.
Nicolas, au rebours[6]; car, quand il va voir Jeanne,
75 Il monte sur sa bête; et la chanson le dit.
Beau trio de baudets! » Le Meunier repartit :
« Je suis âne, il est vrai, j'en conviens, je l'avoue;
Mais que dorénavant on me blâme, on me loue,
Qu'on dise quelque chose ou qu'on ne dise rien,
80 J'en veux faire à ma tête. » Il le fit, et fit bien.

Quant à vous, suivez Mars[7], ou l'Amour, ou le Prince;
Allez, venez, courez; demeurez en province;
Prenez femme, abbaye[8], emploi, gouvernement[9] :
Les gens en parleront, n'en doutez nullement. »

---

1. *Sans doute :* sûrement.
2. *Parbieu :* « Par Dieu » (juron). Comme l'Église interdisait de jurer avec le nom de Dieu, on déformait volontairement les jurons.
3. *Se prélassant :* marchant comme un prélat, un important homme d'Église.
4. *Un quidam :* un homme quelconque (expression burlesque, voir p. 187).
5. *Enchâsser :* fixer dans un cadre somptueux, comme une relique.
6. *Au rebours :* à l'inverse.
7. *Mars :* dieu latin de la Guerre.
8. *Abbaye :* couvent (on pouvait être abbé, c'est-à-dire supérieur d'un couvent, sans être un religieux, et en retirer seulement des revenus).
9. *Gouvernement :* charge de gouverneur (de province ou de ville).

4. Les Grenouilles qui demandent un Roi

Les Grenouilles se lassant
De l'état démocratique[1],
Par leurs clameurs firent tant
Que Jupin[2] les soumit au pouvoir monarchique[3].
5 Il leur tomba du ciel un Roi tout pacifique[4] :
Ce Roi fit toutefois un tel bruit en tombant,
Que la gent[5] marécageuse,
Gent fort sotte et fort peureuse,
S'alla cacher sous les eaux,
10 Dans les joncs, dans les roseaux,
Dans les trous du marécage,
Sans oser de longtemps[6] regarder au visage
Celui qu'elles croyaient être un géant nouveau.
Or c'était un soliveau[7],
15 De qui la gravité fit peur à la première
Qui, de le voir s'aventurant[8],
Osa bien quitter sa tanière.
Elle approcha, mais en tremblant;
Une autre la suivit, une autre en fit autant :
20 Il en vint une fourmilière;
Et leur troupe à la fin se rendit familière
Jusqu'à sauter sur l'épaule du Roi.
Le bon sire le souffre[9], et se tient toujours coi[10].

---

1. *De l'état démocratique* : de la démocratie.
2. *Jupin* : diminutif burlesque (voir p. 187) de Jupiter, roi des dieux latins.
3. *Monarchique* : royal.
4. *Tout pacifique* : aimant vraiment la paix.
5. *La gent* : la race, la nation.
6. *De longtemps* : pendant longtemps.
7. *Soliveau* : poutre.
8. *De le voir s'aventurant* : s'aventurant à le voir.
9. *Le souffre* : le permet, le tolère.
10. *Coi* : tranquille et sans faire de bruit.

Les Grenouilles qui demandent un Roi.
Gravure d'Étienne Fessard (1714-1777) d'après un dessin de Harel
pour une édition des *Fables* de 1778. B.N., Paris.

Jupin en a bientôt la cervelle rompue[1] :
25 « Donnez-nous, dit ce peuple, un roi qui se remue. »
Le monarque des dieux leur envoie une grue[2],
        Qui les croque, qui les tue,
        Qui les gobe à son plaisir[3];
30   Et Grenouilles de se plaindre[4],
    Et Jupin de leur dire : « Eh quoi? votre désir
        À ses lois croit-il nous astreindre[5]?
        Vous avez dû[6] premièrement
        Garder votre gouvernement;
35 Mais, ne l'ayant pas fait, il vous devait suffire
    Que votre premier roi fût débonnaire[7] et doux :
        De celui-ci contentez-vous,
        De peur d'en rencontrer un pire. »

5. Le Renard et le Bouc

Capitaine Renard allait de compagnie
Avec son ami Bouc des plus haut encornés[8] :
Celui-ci ne voyait pas plus loin que son nez;
L'autre était passé maître[9] en fait de tromperie.
5 La soif les obligea de descendre en un puits :
        Là chacun d'eux se désaltère.
Après qu'abondamment tous deux en eurent pris[10],

---

1. *Jupin... la cervelle rompue* : elles lui cassent la tête de leurs plaintes.
2. *Grue* : oiseau échassier amateur de grenouilles.
3. *À son plaisir* : selon son plaisir.
4. *Et grenouilles de se plaindre* : les grenouilles se plaignent.
5. « Croit-il nous obliger à obéir à ses lois ? »
6. *Vous avez dû* : vous auriez dû.
7. *Débonnaire* : bon, gentil.
8. *Des plus haut encornés* : qui avait de hautes cornes.
9. *Passé maître* : devenu expert.
10. *En eurent pris* : eurent pris de l'eau.

Le Renard dit au Bouc : « Que ferons-nous, compère[1] ?
Ce n'est pas tout de boire, il faut sortir d'ici.
10 Lève tes pieds en haut, et tes cornes aussi ;
Mets-les contre le mur : le long de ton échine
       Je grimperai premièrement ;
       Puis sur tes cornes m'élevant,
       À l'aide de cette machine[2],
15   De ce lieu-ci je sortirai,
       Après quoi je t'en tirerai.
— Par ma barbe, dit l'autre, il[3] est bon ; et je loue
       Les gens bien sensés comme toi.
       Je n'aurais jamais, quant à moi,
20   Trouvé ce secret, je l'avoue. »
Le Renard sort du puits, laisse son compagnon,
       Et vous lui fait un beau sermon
       Pour l'exhorter à patience.
« Si le ciel t'eût, dit-il, donné par excellence[4]
25 Autant de jugement que de barbe au menton,
       Tu n'aurais[5] pas, à la légère,
Descendu dans ce puits. Or[6] adieu : j'en suis hors[7] ;
Tâche de t'en tirer, et fais tous tes efforts ;
       Car, pour moi, j'ai certaine affaire
30 Qui ne me permet pas d'arrêter[8] en chemin. »

En toute chose il faut considérer la fin.

---

1. *Compère* : appellation familière (voir p. 189) entre voisins.
2. *Machine* : ensemble des moyens permettant d'arriver au résultat recherché.
3. *Il* : cela.
4. *Par excellence :* par privilège spécial.
5. *Aurais* : serais (archaïsme familier, voir p. 187 et 189).
6. *Or :* maintenant.
7. *J'en suis hors :* je suis dehors.
8. *D'arrêter :* de m'arrêter.

9. Le Loup et la Cigogne

Les Loups mangent gloutonnement.
Un Loup donc étant de frairie[1]
Se pressa, dit-on, tellement
Qu'il en pensa[2] perdre la vie :
5 Un os lui demeura bien avant au gosier.
De bonheur[3] pour ce Loup, qui ne pouvait crier,
    Près de là passe une Cigogne.
    Il lui fait signe; elle accourt.
Voilà l'opératrice[4] aussitôt en besogne.
10 Elle retira l'os; puis, pour un si bon tour[5],
    Elle demanda son salaire.
    « Votre salaire? dit le Loup :
    Vous riez, ma bonne commère[6]!
    Quoi? ce n'est pas encor beaucoup
15 D'avoir de mon gosier retiré votre cou?
    Allez, vous êtes une ingrate :
    Ne tombez jamais sous ma patte. »

11. Le Renard et les Raisins

Certain Renard gascon, d'autres disent normand[7],
Mourant presque de faim, vit au haut d'une treille

1. *De frairie* : en train de faire un festin (expression populaire, vieillie).
2. *En pensa* : faillit.
3. *De bonheur* : par bonheur, par chance.
4. *Opératrice* : féminin fabriqué par La Fontaine sur opérateur qui signifie « chirurgien ».
5. *Un si bon tour* : une si bonne opération.
6. *Commère* : appellation familière (voir p. 189) entre connaissances.
7. Les Gascons étaient célèbres au XVIIᵉ siècle pour leur vantardise (« se tirer en Gascon d'une affaire » signifie « s'en sortir à son avantage, en paradant »); les Normands étaient connus pour leur prudence (« répondre en Normand » signifie « répondre sans s'engager »).

Des Raisins mûrs apparemment[1],
Et couverts d'une peau vermeille[2].
5   Le galand[3] en eût fait volontiers un repas;
Mais comme il n'y pouvait atteindre :
« Ils sont trop verts, dit-il, et bons pour des goujats[4]! »

Fit-il pas[5] mieux que de se plaindre?

13.   Les Loups et les Brebis

Après mille ans et plus de guerre déclarée,
Les Loups firent la paix avecque les Brebis.
C'était apparemment[6] le bien[7] des deux partis;
Car si les Loups mangeaient mainte[8] bête égarée,
5   Les Bergers de leur peau se faisaient maints habits.
Jamais de liberté, ni pour les pâturages,
Ni d'autre part pour les carnages[9] :
Ils ne pouvaient jouir qu'en tremblant de leurs biens.
La paix se conclut donc : on donne des otages[10];
10   Les Loups, leurs Louveteaux; et les Brebis, leurs Chiens,
L'échange en étant fait aux formes ordinaires,
Et réglé par des commissaires[11].

---

1. *Apparemment* : manifestement.
2. *Vermeille* : d'un rouge vif.
3. *Le galand* : le coquin. L'orthographe actuelle est « galant ».
4. *Goujats* : valets de soldats et, au figuré, hommes grossiers.
5. *Fit-il pas* : ne fit-il pas.
6. *Apparemment* : manifestement, évidemment.
7. *Le bien* : un avantage pour.
8. *Mainte* : beaucoup de (comme « maints » au vers 5).
9. *Carnages* : massacres.
10. *Des otages* : des gens qui vont servir à garantir que l'on respectera sa parole (si on ne la tient pas, ils seront exécutés).
11. *Commissaires* : représentants nommés spécialement pour procéder à la signature des traités et veiller à leur exécution dans les « formes » (v.11).

Au bout de quelque temps que messieurs les Louvats[1]
Se virent loups parfaits[2] et friands[3] de tuerie,
15 Ils vous prennent le temps que[4] dans la bergerie
        Messieurs les Bergers n'étaient pas,
Étranglent la moitié des Agneaux les plus gras,
Les emportent aux dents, dans les bois se retirent.
Ils avaient averti leurs gens[5] secrètement.
20 Les Chiens, qui, sur leur foi[6] reposaient sûrement[7],
        Furent étranglés en dormant :
Cela fut sitôt fait qu'à peine ils le sentirent.
Tout fut mis en morceaux; un seul[8] n'en échappa.

        Nous pouvons conclure de là
25 Qu'il faut faire aux méchants guerre continuelle.
        La paix est fort bonne de soi[9];
        J'en conviens; mais de quoi sert-elle
        Avec des ennemis sans foi[10]?

17.   La Belette entrée dans un grenier

Damoiselle[11] Belette, au corps long et flouet[12],
Entra dans un grenier par un trou fort étroit :
        Elle sortait de maladie.

---

1. *Louvats* : louveteaux d'un an.
2. *Parfaits* : achevés, adultes.
3. *Friands* : amateurs.
4. *Le temps que* : le moment favorable où...
5. *Gens* : ici, parents.
6. *Foi* : parole donnée, promesse.
7. *Reposaient sûrement* : se reposaient en sûreté.
8. *Un seul* : ici, pas un seul.
9. *De soi* : en soi.
10. *Sans foi* : sans loyauté.
11. *Damoiselle* : titre donné aux filles nobles (archaïsme burlesque ici, voir p. 187).
12. *Flouet* : fluet, mince.

Là, vivant à discrétion[1],
5 La galande[2] fit chère lie[3],
Mangea, rongea : Dieu sait la vie,
Et le lard qui périt en cette occasion !
La voilà, pour conclusion,
Grasse, maflue[4] et rebondie.
10 Au bout de la semaine, ayant dîné son soû[5],
Elle entend quelque bruit, veut sortir par le trou,
Ne peut plus repasser, et croit s'être méprise[6].
Après avoir fait quelques tours,
« C'est, dit-elle, l'endroit : me voilà bien surprise[7] ;
15 J'ai passé par ici depuis[8] cinq ou six jours. »
Un Rat, qui la voyait en peine,
Lui dit : « Vous aviez lors[9] la panse[10] un peu moins pleine.
Vous êtes maigre entrée, il faut maigre sortir.
Ce que je vous dis là, l'on le dit à bien d'autres[11] ;
20 Mais ne confondons point, par trop approfondir[12],
Leurs affaires avec les vôtres. »

---

1. *À discrétion* : à son appétit, en toute liberté.
2. *Galande* : rusée, coquine.
3. *Chère lie* : bonne nourriture, joyeuse vie.
4. *Maflue* : aux grosses joues (mot populaire).
5. *Son soû* : de façon à satisfaire son appétit.
6. *Méprise* : trompée.
7. *Surprise* : attrapée.
8. *Depuis* : il y a.
9. *Lors* : alors.
10. *La panse* : l'estomac.
11. Allusion aux restitutions imposées aux collecteurs d'impôts par la Chambre de justice (1661-1665).
12. *Par trop approfondir* : en approfondissant trop.

Livre III

LE MEUNIER, SON FILS ET L'ÂNE

1. Fable ou conte ? Quelles sont les différences entre ce récit (v. 27 à 80) et les précédents ? L'Âne est-il ici un animal de fable ?
Faites le plan de ce petit conte.
Dans quel milieu se passent les scènes ? (Observez le vocabulaire.)
Montrez comment La Fontaine caractérise rapidement chacun des groupes de passants rencontrés (notamment par leur langage).
Relevez les différentes combinaisons des trois personnages du Meunier, de son Fils et de l'Âne.

2. Une comédie : en vous appuyant sur le texte, montrez que le comique vient de la répétition systématique des mêmes réflexions de la part des passants, malgré les changements que décide le père.
En quoi le père est-il ridicule ? Quel est son défaut ?
Relevez toutes les allusions à l'Âne et montrez qu'il y a toujours jeu de mots ou effet comique.
Retrouvez quelques expressions de la fable qui vous ont paru particulièrement drôles.

3. Une leçon de sagesse : quel sentiment traduit le rythme des vers 76 à 80 ? Comment le père progresse-t-il vers la sagesse ?

LES GRENOUILLES QUI DEMANDENT UN ROI

1. Une fable politique : relevez les mots appartenant au champ lexical (voir p. 187) de la politique.
Dans les vers 30 à 37, comment sont marqués l'autorité de Jupiter et son rôle de maître (dans les deux sens du mot : maître d'école et seigneur des Grenouilles) ?
De quels défauts font preuve les Grenouilles ? En quoi ne sont-elles pas « sages » ?

2. Les Grenouilles : en quoi le caractère attribué ici aux Grenouilles leur convient-il particulièrement bien ?
Montrez comment la forme des vers (mètres, rimes, rythme, voir p. 22) décrit bien l'agitation inutile des Grenouilles.

GUIDE D'EXPLICATION

Relevez des exemples prouvant que La Fontaine est un bon observateur de la nature.
En quoi le choix des deux Rois est-il drôle ?

LE RENARD ET LE BOUC

1. Comment rendre un récit plus amusant ? Comparez cette fable avec le résumé en prose qu'en donne La Fontaine dans sa Préface (I. 133 à 139); comment le rend-il plus amusant à lire ?

2. À quoi servent les quatre premiers vers ? Que révèle le dialogue du caractère des deux personnages ?

3. Qu'apporte l'emploi d'une langue familière (voir p. 189) ? Dans la description, relevez les détails concrets qui donnent une impression de réalité. Montrez les oppositions et les effets de surprise.
Qu'apporte la versification au récit (rythme, rimes et effets sonores, enjambements... voir p. 22 et suivantes) ?

LE RENARD ET LES RAISINS

1. Un drôle de Renard : l'histoire est-elle vraisemblable ? Justifiez votre réponse. Le rôle donné au Renard est-il celui qui lui est habituel ? Connaissez-vous d'autres récits où il se trouve ainsi en position de vaincu ?

2. Comparez le texte de La Fontaine à celui d'Ésope : « Un Renard affamé, voyant des grappes de raisin pendre à une treille, voulut les attraper; mais ne pouvant y parvenir, il s'éloigna en se disant à lui-même : "C'est du verjus." Pareillement certains hommes, ne pouvant mener à bien leurs affaires, à cause de leur incapacité, en accusent les circonstances » (traduction de E. Chambry).
Justifiez l'ajout de la description des raisins. Quel détail « inutile » ajoute La Fontaine ? Pourquoi ?

3. Quelle morale (voir p. 190) préférez-vous ? Pouvez-vous en inventer une autre ?

LA BELETTE ENTRÉE DANS UN GRENIER

1. Le récit : comparez les deux portraits de la Belette. Montrez quel caractère La Fontaine donne à la Belette.

Relevez les mots du champ lexical (voir p. 187) de la nourriture.
Étudiez rythmes et sonorités ; comment soulignent-ils les diverses étapes du récit ?

2. Une allusion satirique (voir p. 191) à un fait contemporain : quel rôle joue le Rat ? Sur quel ton parle-t-il ?

Cette fable fait allusion aux restitutions d'argent imposées par la Chambre de justice aux financiers collecteurs d'impôts entre 1661 et 1663, après l'examen de leurs comptes. Fouquet, comme eux, s'était enrichi en gérant l'argent public. Cela n'explique-t-il pas la prudence des vers 20 et 21 ? Pourquoi La Fontaine a-t-il cependant écrit cette fable ? Montrez que ces deux vers témoignent aussi d'une certaine ironie (peut-on comparer une belette, même bien grasse, à un financier ?)

LE BERGER ET LA MER. Fable. LXII.

Le Berger et la Mer.
Illustration de Jean-Baptiste Oudry (1686-1755).

86

Livre IV

2. Le Berger et la Mer

Du rapport[1] d'un troupeau, dont il vivait sans soins[2],
Se contenta longtemps un voisin d'Amphitrite[3] :
      Si sa fortune était petite,
      Elle était sûre tout au moins.
5 À la fin, les trésors déchargés sur la plage
Le tentèrent si bien qu'il vendit son troupeau,
Trafiqua de l'argent[4], le mit entier sur l'eau[5].
      Cet argent périt par naufrage.
Son maître fut réduit à garder les brebis,
10 Non plus Berger en chef comme il était jadis,
Quand ses propres moutons paissaient sur le rivage :
Celui qui s'était vu Coridon ou Tircis[6]
      Fut Pierrot[7], et rien davantage.
Au bout de quelque temps il fit quelques profits,
15   Racheta des bêtes à laine;
Et comme un jour les vents, retenant leur haleine,
Laissaient paisiblement aborder les vaisseaux :
« Vous voulez de l'argent, ô Mesdames les Eaux,
Dit-il, adressez-vous, je vous prie, à quelque autre :
20   Ma foi! vous n'aurez pas le nôtre. »

Ceci n'est pas un conte à plaisir inventé.
      Je me sers de la vérité

---

1. *Rapport :* revenu, argent gagné.
2. *Soins :* soucis.
3. *Amphitrite :* déesse latine de la Mer. Le mot signifie ici « la mer ».
4. *Trafiqua de l'argent :* consacra au commerce l'argent qu'il en tira.
5. *Le mit entier sur l'eau :* plaça tout son argent dans la cargaison d'un navire.
6. *Coridon ou Tircis :* bergers de poésie, riches et oisifs.
7. *Pierrot :* paysan un peu lourdaud (personnage de la farce, voir p. 189).

Pour montrer, par expérience,
Qu'un sou, quand il est assuré[1],
25   Vaut mieux que cinq en espérance;
Qu'il se faut contenter de sa condition[2];
Qu'aux conseils de la mer et de l'ambition
   Nous devons fermer les oreilles.
Pour un qui s'en louera[3], dix mille s'en plaindront.
30   La mer promet monts et merveilles :
Fiez-vous-y[4]; les vents et les voleurs viendront.

4. Le Jardinier et son Seigneur

Un amateur du jardinage,
Demi-bourgeois, demi-manant[5],
Possédait en certain village
Un jardin assez propre[6], et le clos attenant[7].
5 Il avait de plant vif[8] fermé cette étendue.
Là croissait[9] à plaisir l'oseille et la laitue,
De quoi faire à Margot[10] pour sa fête un bouquet,
Peu de jasmin d'Espagne[11], et force serpolet[12].
Cette félicité[13] par un Lièvre troublée

---

1. *Assuré :* sûr.
2. *Sa condition :* son rang social.
3. *Louera :* félicitera.
4. *Fiez-vous-y :* faites-lui confiance.
5. *Manant :* paysan propriétaire.
6. *Propre :* joli, soigné.
7. *Le clos attenant :* le terrain cultivé, le potager qui se trouvait à côté.
8. *De plant vif :* par une haie d'arbustes.
9. *Croissait :* poussait (accordé à son premier sujet).
10. *Margot :* nom de paysanne.
11. *Jasmin d'Espagne :* fleur délicate.
12. *Serpolet :* plante aromatique commune appréciée des lapins et des lièvres.
13. *Cette félicité :* ce bonheur.

10 Fît qu'au Seigneur du bourg[1] notre homme se plaignit[2].
   « Ce maudit animal vient prendre sa goulée[3]
   Soir et matin, dit-il, et des pièges se rit;
   Les pierres, les bâtons y perdent leur crédit[4] :
   Il est sorcier, je crois. — Sorcier? je l'en défie,
15 Repartit le Seigneur : fût-il diable, Miraut[5],
   En dépit de ses tours, l'attrapera bientôt.
   Je vous en déferai, bon homme[6], sur ma vie.
   — Et quand? — Et dès demain, sans tarder plus longtemps.»
   La partie[7] ainsi faite, il vient avec ses gens[8].
20 « Çà, déjeunons, dit-il : vos poulets sont-ils tendres?
   La fille du logis, qu'on vous voie, approchez :
   Quand la marierons-nous? quand aurons-nous des gendres?
   Bon homme, c'est ce coup[9] qu'il faut, vous m'entendez,
           Qu'il faut fouiller à l'escarcelle[10]. »
25 Disant ces mots, il fait connaissance avec elle,
           Auprès de lui la fait asseoir,
   Prend une main, un bras, lève un coin du mouchoir[11],
           Toutes sottises dont la belle
           Se défend avec grand respect :
30 Tant qu'au père[12] à la fin cela devient suspect.
   Cependant on fricasse[13], on se rue en cuisine[14].

---

1. *Seigneur du bourg :* seigneur du village.
2. Seuls les nobles ont le droit de chasser.
3. *Goulée :* ce qu'on prend dans la gueule (expression populaire et archaïque).
4. *Leur crédit :* la confiance qu'on mettait en leur efficacité.
5. *Miraut :* nom de chien.
6. *Bon homme :* bon vieillard (expression familière, voir p. 189).
7. *La partie :* le projet, le plan.
8. *Gens :* domestiques.
9. *Ce coup :* cette fois.
10. *Fouiller à l'escarcelle :* fouiller sa bourse, faire de grandes dépenses.
11. *Mouchoir :* fichu que les femmes portent sur la poitrine.
12. *Tant qu'au père :* si bien qu'au père.
13. *Cependant on fricasse :* pendant ce temps, on fait cuire dans une sauce.
14. *On se rue en cuisine :* on se goinfre, on dévore (expression vulgaire).

« De quand sont vos jambons? ils ont fort bonne mine.
— Monsieur, ils sont à vous[1]. — Vraiment, dit le Seigneur,
      Je les reçois, et de bon cœur. »
35 Il déjeune très bien; aussi fait sa famille[2],
Chiens, chevaux et valets, tous gens bien endentés[3] :
Il commande chez l'hôte, y prend des libertés,
      Boit son vin, caresse sa fille.
L'embarras des chasseurs[4] succède au déjeuné.
40   Chacun s'anime et se prépare :
Les trompes et les cors font un tel tintamarre
      Que le bon homme est étonné[5].
Le pis fut que l'on mit en piteux équipage[6]
Le pauvre potager : adieu planches[7], carreaux[8];
45   Adieu chicorée et porreaux[9];
      Adieu de quoi mettre au potage.
Le lièvre était gîté[10] dessous un maître chou[11].
On le quête; on le lance[12] : il s'enfuit par un trou,
Non pas trou, mais trouée, horrible et large plaie
50   Que l'on fit à la pauvre haie
Par ordre du Seigneur; car il eût été mal
Qu'on n'eût pu du jardin sortir tout à cheval.
Le bon homme disait : « Ce sont là jeux de prince[13]. »

---

1. « Ils sont à vous » est une simple formule de politesse que le seigneur fait exprès de prendre au pied de la lettre.
2. *Sa famille :* tous ceux, bêtes et gens, qui vivent sous le même toit.
3. *Endentés :* qui ont de bonnes dents, donc bons mangeurs.
4. *L'embarras des chasseurs :* l'embarras causé par les chasseurs.
5. *Étonné :* stupéfait, comme frappé par le tonnerre.
6. *En piteux équipage :* en fort mauvais état.
7. *Planches :* espaces de terre cultivée plus longs que larges.
8. *Carreaux :* compartiments d'un jardin.
9. *Porreaux :* poireaux.
10. *Était gîté :* s'était réfugié.
11. *Un maître chou :* un chou énorme.
12. *On le quête; on le lance :* on le recherche, on le fait s'enfuir (termes de chasse au gros gibier).
13. *Jeux de prince :* plaisanteries cruelles qui ne plaisent qu'à ceux qui les font.

Mais on le laissait dire; et les chiens et les gens
55 Firent plus de dégât en une heure de temps
        Que n'en auraient fait en cent ans
        Tous les lièvres de la province.

Petits princes, videz vos débats entre vous :
De recourir aux rois vous seriez de grands fous.
60 Il ne les faut jamais engager dans vos guerres,
        Ni les faire entrer sur vos terres.

5.   L'Âne et le petit Chien

        Ne forçons point notre talent[1],
        Nous ne ferions rien avec grâce :
        Jamais un lourdaud, quoi qu'il fasse,
        Ne saurait passer[2] pour galant[3].
5 Peu de gens, que le ciel chérit et gratifie[4],
        Ont le don d'agréer[5] infus avec la vie[6].
            C'est un point[7] qu'il leur faut laisser,
Et ne pas ressembler à l'Âne de la fable,
          Qui, pour se rendre plus aimable
10 Et plus cher à son maître, alla le caresser.
           « Comment? disait-il en son âme,
          Ce Chien, parce qu'il est mignon,
          Vivra de pair à compagnon[8]
          Avec Monsieur, avec Madame;

---

1. *Notre talent :* notre capacité, nos qualités.
2. *Ne saurait passer :* ne réussirait à passer.
3. *Galant :* élégant, distingué.
4. *Gratifie :* favorise.
5. *Agréer :* plaire.
6. *Infus avec la vie :* inné.
7. *Point :* avantage.
8. *De pair à compagnon :* d'égal à égal.

15   Et j'aurai des coups de bâton?
     Que fait-il? il donne la patte;
     Puis aussitôt il est baisé :
S'il en faut faire autant afin que l'on me flatte[1],
     Cela n'est pas bien malaisé. »
20   Dans cette admirable pensée,
Voyant son maître en joie, il s'en vient lourdement,
     Lève une corne[2] toute usée,
La lui porte au menton fort amoureusement,
Non sans accompagner, pour plus grand ornement,
25 De son chant gracieux cette action hardie.
« Oh! oh! quelle caresse! et quelle mélodie! »
Dit le maître aussitôt. Holà, Martin-bâton[3] ! »
Martin-bâton accourt : l'âne change de ton.
     Ainsi finit la comédie.

9. Le Geai paré des plumes du Paon

Un Paon muait; un Geai[4] prit son plumage;
     Puis après se l'accommoda[5];
Puis parmi d'autres Paons tout fier se panada[6],
     Croyant être un beau personnage.
5 Quelqu'un le reconnut : il se vit bafoué[7],

---

1. *Flatte :* caresse.
2. *Une corne :* un sabot.
3. « Martin-bâton » est le nom que l'on donne souvent au xvie siècle à un bâton pour le personnifier.
4. *Geai :* il s'agit en fait d'une sorte de corbeau dans le texte latin que La Fontaine réécrit ici.
5. *Se l'accommoda :* se l'ajusta, s'en habilla.
6. *Se panada :* se pavana (marcha comme un paon pour montrer ses belles plumes).
7. *Bafoué :* tourné en ridicule.

Berné[1], sifflé, moqué[2], joué,
Et par Messieurs les Paons plumé d'étrange[3] sorte;
Même vers[4] ses pareils s'étant réfugié,
    Il fut par eux mis à la porte.

10 Il est assez de geais à deux pieds comme lui,
Qui se parent souvent des dépouilles[5] d'autrui,
    Et que l'on nomme plagiaires[6].
Je m'en tais, et ne veux leur causer nul ennui :
    Ce ne sont pas là mes affaires.

13. Le Cheval s'étant voulu venger du Cerf

De tout temps les chevaux ne sont nés pour les hommes[7].
Lorsque le genre humain de gland se contentait,
Âne, cheval, et mule, aux forêts habitait[8];
Et l'on ne voyait point, comme au siècle où nous sommes,
5   Tant de selles et tant de bâts,
    Tant de harnais pour les combats,
    Tant de chaises[9], tant de carrosses;
    Comme aussi ne voyait-on pas
    Tant de festins et tant de noces.

---

1. *Berné* : traité avec mépris et raillerie.
2. Au xviiᵉ siècle, on disait « moquer quelqu'un » au lieu de l'expression actuelle « se moquer de quelqu'un ».
3. *Étrange* : terrible.
4. *Vers* : auprès de.
5. *Dépouilles* : tout ce dont on s'empare au détriment des autres.
6. *Plagiaires* : copieurs.
7. *De tout temps... hommes* : les chevaux n'ont pas été toujours destinés à servir les hommes.
8. *Habitait* : l'accord se fait avec le sujet le plus rapproché.
9. *Chaises* : petits carrosses pour deux personnes.

10 Or un Cheval eut alors différend[1],
          Avec un Cerf plein de vitesse;
Et ne pouvant l'attraper en courant,
Il eut recours à l'Homme, implora son adresse.
L'Homme lui mit un frein[2], lui sauta sur le dos,
15   Ne lui donna point de repos
Que le Cerf ne fût près, et n'y laissât la vie;
Et cela fait, le Cheval remercie
L'Homme son bienfaiteur, disant : « Je suis à vous[3];
Adieu : je m'en retourne en mon séjour sauvage.
20 — Non pas cela, dit l'Homme : il fait meilleur chez nous,
         Je vois trop quel est votre usage[4].
Demeurez donc; vous serez bien traité,
        Et jusqu'au ventre en la litière[5]. »
        Hélas! que sert la bonne chère
25   Quand on n'a pas la liberté?
Le Cheval s'aperçut qu'il avait fait folie[6];
Mais il n'était plus temps; déjà son écurie
        Était prête et toute bâtie.
Il y mourut en traînant son lien[7] :
30 Sage, s'il eût remis[8] une légère offense.

Quel que soit le plaisir que cause la vengeance,
C'est l'acheter trop cher que l'acheter d'un bien
        Sans qui les autres ne sont rien.

---

1. *Différend :* dispute, querelle.
2. *Un frein :* barre que l'on place dans la bouche du cheval et qui sert à le diriger avec les rênes.
3. *Je suis à vous :* formule de politesse et d'adieu.
4. *Votre usage :* votre utilité.
5. *Et jusqu'au ventre en la litière :* expression proverbiale qui signifie être bien nourri et bien logé (ici, au sens propre aussi, puisque l'homme procure une litière au cheval dans son écurie).
6. *Il avait fait folie :* il avait fait une folie.
7. *En traînant son lien :* expression proverbiale qui signifie devoir finir par être puni (ici, au sens propre aussi, puisqu'il est maintenant attaché).
8. *Remis :* pardonné.

14. Le Renard et le Buste

Les grands, pour la plupart, sont masques de théâtre[1];
Leur apparence impose au[2] vulgaire[3] idolâtre[4].
L'Âne n'en sait juger que par ce qu'il en voit :
Le Renard, au contraire, à fond les examine,
5   Les tourne de tout sens; et quand il s'aperçoit
        Que leur fait[5] n'est que bonne mine[6],
Il leur applique un mot qu'un Buste de héros
        Lui fit dire fort à propos.
C'était un Buste creux, et plus grand que nature.
10 Le Renard, en louant l'effort de la sculpture :
« Belle tête, dit-il; mais de cervelle point. »

Combien de grands seigneurs sont bustes en ce point!

15. Le Loup, la Chèvre et le Chevreau

La Bique[7], allant remplir sa traînante mamelle,
     Et paître l'herbe nouvelle,
     Ferma sa porte au loquet,
     Non sans dire à son Biquet :
5   « Gardez-vous, sur votre vie[8],
     D'ouvrir que l'on ne vous die[9],

---

1. *Masques de théâtre :* La Fontaine combine deux fables anciennes : l'une qui parle d'un buste et l'autre d'un masque de théâtre.
2. *Impose au :* impressionne le (en impose au).
3. *Vulgaire :* l'homme ordinaire, le commun des hommes.
4. *Idolâtre :* qui se voue au culte des images, des statues ou des tableaux.
5. *Leur fait :* leur réalité.
6. *Bonne mine :* belle apparence.
7. *Bique :* chèvre (mot populaire, enfantin).
8. *Sur votre vie :* au nom de votre vie, pour protéger votre vie.
9. *Die :* dise.

Pour enseigne[1] et mot du guet[2] :
« Foin[3] du Loup et de sa race! »
Comme elle disait ces mots,
10   Le Loup de fortune[4] passe ;
Il les recueille à propos,
Et les garde en sa mémoire.
La Bique, comme on peut croire,
N'avait pas vu le glouton.
15 Dès qu'il la voit partie, il contrefait son ton,
Et d'une voix papelarde[5]
Il demande qu'on ouvre en disant : « Foin du Loup! »
Et croyant entrer tout d'un coup[6].
Le Biquet soupçonneux par la fente regarde :
20 « Montrez-moi patte blanche, ou je n'ouvrirai point »,
S'écria-t-il d'abord[7]. Patte blanche est un point[8]
Chez les loups, comme on sait, rarement en usage.
Celui-ci, fort surpris d'entendre ce langage,
Comme il était venu s'en retourna chez soi.
25 Où serait le Biquet, s'il eût ajouté foi
Au mot du guet que de fortune
Notre Loup avait entendu?

Deux sûretés[9] valent mieux qu'une,
Et le trop en cela ne fut jamais perdu.

---

1. *Enseigne :* signe de reconnaissance.
2. *Mot du guet :* mot de passe.
3. *Foin :* exclamation populaire qui marque la colère.
4. *De fortune :* par hasard (voir aussi v. 26).
5. *Papelarde :* d'une douceur hypocrite.
6. *Tout d'un coup :* immédiatement.
7. *D'abord :* tout de suite, aussitôt.
8. *Un point :* un détail.
9. *Sûretés :* précautions.

21.   L'œil du Maître

Un Cerf, s'étant sauvé[1] dans une étable à Bœufs,
    Fut d'abord averti par eux
    Qu'il cherchât[2] un meilleur asile.
« Mes frères, leur dit-il, ne me décelez[3] pas :
5 Je vous enseignerai les pâtis[4] les plus gras;
Ce service vous peut quelque jour être utile,
    Et vous n'en aurez point regret. »
Les Bœufs, à toutes fins, promirent le secret.
Il se cache en un coin, respire, et prend courage.
10 Sur le soir on apporte herbe fraîche et fourrage,
    Comme l'on faisait tous les jours :
L'on va, l'on vient, les valets font cent tours,
L'intendant même; et pas un, d'aventure[5],
    N'aperçut ni cors[6], ni ramure[7],
15 Ni Cerf enfin. L'habitant des forêts
Rend déjà grâce aux Bœufs, attend dans cette étable
Que chacun retournant au travail de Cérès[8],
Il trouve pour sortir un moment favorable.
L'un des Bœufs ruminant lui dit : « Cela va bien;
20 Mais quoi? l'homme aux cent yeux[9] n'a pas fait sa revue.
    Je crains fort pour toi sa venue;
Jusque-là, pauvre Cerf, ne te vante de rien. »
Là-dessus, le Maître entre, et vient faire sa ronde.
    « Qu'est ceci? dit-il à son monde.

---

1. *S'étant sauvé* : s'étant mis à l'abri, réfugié.
2. *Fut ... qu'il cherchât* : fut tout de suite averti ... qu'il devait chercher.
3. *Décelez* : trahissez.
4. *Pâtis* : pâturages.
5. *D'aventure* : par hasard.
6. *Cors* : petites cornes sortant du bois du cerf.
7. *Ramure* : les bois du cerf en entier.
8. *Cérès* : déesse latine des Moissons, donc ici le travail des champs.
9. *L'homme aux cent yeux* : comparaison sous-entendue avec le monstre mythologique Argus, qui avait cent yeux.

25 Je trouve bien peu d'herbe en tous ces râteliers;
Cette litière est vieille : allez vite aux greniers;
Je veux voir désormais vos bêtes mieux soignées.
Que coûte-t-il d'ôter toutes ces araignées?
Ne saurait-on ranger ces jougs et ces colliers? »
30 En regardant à tout, il voit une autre tête
Que celles qu'il voyait d'ordinaire en ce lieu.
Le Cerf est reconnu : chacun prend un épieu[1];
      Chacun donne un coup à la bête.
Ses larmes ne sauraient la sauver du trépas.
35 On l'emporte, on la sale[2], on en fait maint repas[3],
      Dont maint voisin s'éjouit[4] d'être.

Phèdre[5] sur ce sujet dit fort élégamment :
      Il n'est, pour voir, que l'œil du Maître.
Quant à moi, j'y mettrais encor l'œil de l'amant.

22. L'Alouette et ses Petits
avec le Maître d'un champ

Ne t'attends[6] qu'à toi seul : c'est un commun[7] proverbe.
      Voici comme[8] Ésope[9] le mit
      En crédit[10] :
      Les alouettes font leur nid

---

1. *Un épieu* : un gros bâton, avec un bout pointu en fer.
2. *On la sale* : on la met dans le sel, pour la conserver.
3. *Maint repas* : beaucoup de repas.
4. *S'éjouit* : se réjouit.
5. *Phèdre* : auteur latin de fables (voir note 3, p. 32).
6. *T'attends* : compte sur.
7. *Commun* : banal, connu.
8. *Comme* : comment.
9. *Ésope* : auteur grec de fables (voir note 3, p. 31).
10. *Le mit en crédit* : en démontra la vérité.

5   Dans les blés, quand ils sont en herbe,
    C'est-à-dire environ le temps
Que[1] tout aime et que tout pullule[2] dans le monde,
   Monstres marins au fond de l'onde[3],
Tigres dans les forêts, alouettes aux champs.
10   Une pourtant de ces dernières
Avait laissé passer la moitié d'un printemps
Sans goûter le plaisir des amours printanières.
À toute force[4] enfin elle se résolut
D'imiter la nature, et d'être mère encore.
15 Elle bâtit un nid, pond, couve, et fait éclore,
À la hâte : le tout alla du mieux qu'il put.
Les blés d'alentour mûrs avant que la nitée[5]
   Se trouvât assez forte encor
    Pour voler et prendre l'essor,
20 De mille soins[6] divers l'Alouette agitée
S'en va chercher pâture[7], avertit ses enfants
D'être toujours au guet et faire sentinelle[8].
   « Si le possesseur de ces champs
Vient avecque son fils, comme il viendra[9], dit-elle,
25 Écoutez-bien : selon ce qu'il dira,
   Chacun de nous décampera[10]. »
Sitôt que l'Alouette eut quitté sa famille,
Le possesseur du champ vient avecque son fils.
« Ces blés sont mûrs, dit-il : allez chez nos amis

---

1. *Environ le temps que :* à peu près à l'époque où.
2. *Pullule :* se multiplie.
3. *Onde :* eau (mot poétique).
4. *À toute force :* enfin.
5. *Nitée :* nichée (forme de dialecte picard).
6. *Soins :* soucis, inquiétudes.
7. *Chercher pâture :* chercher à manger.
8. *Être ... au guet et faire sentinelle :* faire attention et mener la garde.
9. *Comme il viendra :* il viendra, c'est une chose certaine.
10. *Décampera :* quittera le camp (terme militaire).

30 Les prier que chacun, apportant sa faucille,
Nous vienne aider demain dès la pointe du jour. »
Notre Alouette de retour
Trouve en alarme sa couvée.
L'un commence : « Il a dit que, l'aurore levée,
35 L'on fît venir demain ses amis pour l'aider.
— S'il n'a dit que cela, repartit l'Alouette,
Rien ne nous presse encor de changer de retraite,
Mais c'est demain qu'il faut tout de bon écouter.
Cependant[1] soyez gais; voilà de quoi manger. »
40 Eux repus, tout s'endort, les petits et la mère.
L'aube du jour arrive, et d'amis point du tout.
L'Alouette à l'essor[2], le Maître s'en vient faire
Sa ronde ainsi qu'à l'ordinaire.
« Ces blés ne devraient pas, dit-il, être debout.
45 Nos amis ont grand tort, et tort qui[3] se repose
Sur de tels paresseux, à servir[4] ainsi lents.
Mon fils, allez chez nos parents
Les prier de la même chose. »
L'épouvante est au nid plus forte que jamais.
50 « Il a dit ses parents, mère, c'est à cette heure...
— Non, mes enfants; dormez en paix :
Ne bougeons de notre demeure. »
L'Alouette eut raison; car personne ne vint.
Pour la troisième fois, le Maître se souvint
55 De visiter ses blés. « Notre erreur est extrême,
Dit-il, de nous attendre à[5] d'autres gens que nous.
Il n'est meilleur ami ni parent que soi-même.
Retenez bien cela, mon fils. Et savez-vous

---

1. *Cependant* : en attendant.
2. *L'alouette à l'essor* : l'alouette étant partie loin du nid.
3. *Et tort qui* : et il a tort, celui qui.
4. *Servir* : rendre service.
5. *De nous attendre à* : de compter sur.

Ce qu'il faut faire? Il faut qu'avec notre famille[1]
60 Nous prenions dès demain chacun une faucille :
C'est là notre plus court[2]; et nous achèverons
      Notre moisson quand nous pourrons. »
Dès lors que ce dessein fut su de l'Alouette :
« C'est ce coup[3] qu'il est bon de partir, mes enfants. »
65   Et les petits, en même temps,
      Voletants, se culebutants[4],
      Délogèrent tous sans trompette[5].

---

1. *Famille :* gens qui habitent sous le même toit (maîtres et domestiques).
2. *Notre plus court :* la solution la plus rapide.
3. *Ce coup :* cette fois.
4. *Voletants, se culebutants :* voletant, se culbutant (le participe présent s'accorde encore au XVIIe siècle).
5. *Sans trompette :* sans faire de bruit (langue militaire, comme le verbe « déloger »).

L'Alouette et ses Petits avec le Maître d'un champ.
Gravure de Ligny d'après un dessin de Gustave Doré (1832-1883)
pour une édition des *Fables* de 1868.

Livre IV

LE JARDINIER ET SON SEIGNEUR

1. Un conte : faites le plan de la fable en séparant l'introduction, les différentes péripéties et le dénouement (voir p. 190 et 188).
Relevez tous les détails concrets empruntés à la réalité.
Quelles sont les conditions sociales des personnages ? Relevez les mots qui les définissent.
Comment voit-on la supériorité du Seigneur ?
Montrez que les personnages humains ont chacun un caractère précis.
En quoi le Lapin n'est-il pas un animal de fable ?

2. L'art du récit : déterminez les passages de description, de récit, de dialogues. Montrez la progression dans les ennuis du Jardinier.
Étudiez les figures de style (voir p. 189) dans les vers 6 à 8, 44 à 46, 49, 56 à 58. La Fontaine a choisi les vers irréguliers (voir p. 22) comme plus naturels : vous paraissent-ils tels dans les vers 11 à 24 ? Montrez que les changements de mètres (voir p. 22) des vers 35 à 42 rendent sensibles l'agitation et le désordre créés par les chasseurs.

3. La satire (voir p. 191) : quelle classe sociale est-elle ici l'objet de la satire ? Que lui reproche La Fontaine ? Comment se manifeste la pitié moqueuse de La Fontaine envers le jardin et donc son jardinier (vers 49 à 57) ? Que pensez-vous de la morale (voir p. 190) ? Les « petits princes » sont-ils les seuls qu'elle concerne ?

LE GEAI PARÉ DES PLUMES DU PAON

1. Jeux de mots : relevez les allitérations (voir p. 187) aux vers 1, 3, 5-6 ; quelle impression produisent-elles ? Retrouvez un jeu de mots sur « Paon », un sur « Geai ». Que signifie l'expression « Geais à deux pieds » ? Que pensez-vous des expressions « Messieurs les Paons » et « il fut par eux mis à la porte » ?
Montrez que la façon dont le récit est écrit compte plus que ce qui est dit.

2. Remarquez l'opposition des pronoms entre les vers 10-12 et les vers 13-14.

Comment interprétez-vous l'attitude de La Fontaine et son indulgence? Son indifférence est-elle sincère ?

LE CHEVAL S'ÉTANT VOULU VENGER DU CERF

1. Le mythe (voir « mythologie » p. 190) : quelle explication La Fontaine donne-t-il à la domestication du Cheval ? Que veut dire le vers 2 ?

2. La fable : à quel moment la leçon de morale se laisse-t-elle deviner?
Relevez les oppositions (v. 27 à 33). À quoi s'oppose ici la sagesse ?

L'ŒIL DU MAÎTRE

1. Le plan : à quel vers se situe le tournant de la fable ? Comment La Fontaine crée-t-il un effet de surprise et d'attente ? Expliquez la périphrase (voir p. 190) « l'homme aux cent yeux ».

2. La première partie : relevez les mots qui évoquent le soulagement du Cerf. Comment la négligence des valets est-elle soulignée (v. 12 à 15) ?
Quelle leçon de sagesse donne le Bœuf au Cerf ? Quels sont les deux sens de « ruminant » (v. 19) ?

3. La seconde partie : montrez que la forme des phrases souligne l'autorité du Maître (v. 24 à 29). Quelle qualité lui attribuent les vers 35-36 ?

4. Y a-t-il ici réellement une morale (voir p. 190) ? Quelle pourrait être la leçon pour le Cerf ?

L'ALOUETTE ET SES PETITS
AVEC LE MAÎTRE D'UN CHAMP

1. Un tableau (v. 4 à 14) : cette description du printemps est-elle utile au récit ? Relevez tout ce qui donne une impression de poésie.

2. Trois épisodes :
Étudiez la composition de chaque épisode. Comment La Fontaine introduit-il une progression dans la répétition ?

Montrez comment se traduisent l'agitation et l'inquiétude des oiseaux; relevez tous les mots composant le champ lexical (voir p. 187) de la guerre.

Qu'y a-t-il d'étonnant dans les réponses de la mère (v. 36 à 39 et v. 51-52) ? Quand et comment comprend-on son attitude (voir v. 1 à 3 et v. 55 à 57) ?

Le Maître n'évoque-t-il pas celui de la fable précédente ? Comparez leur façon de parler et leur ton. Quel est le défaut de celui-ci ?

Montrez la rapidité du dénouement (voir p. 188) [v. 63 à 67]. En quoi ces vers ressemblent-ils à ceux du début (v. 4 à 14) ?

Le Bûcheron et Mercure.
Illustration de Jean-Baptiste Oudry (1686-1755).

Livre V

1. Le Bûcheron et Mercure

À M.L.C.D.B.[1]

Votre goût a servi de règle à mon ouvrage :
J'ai tenté les moyens d'acquérir son suffrage[2].
Vous voulez qu'on évite un soin trop curieux[3],
Et des vains ornements l'effort ambitieux :
5 Je le veux comme vous : cet effort ne peut plaire.
Un auteur gâte tout quand il veut trop bien faire.
Non qu'il faille bannir certains traits[4] délicats :
Vous les aimez, ces traits, et je ne les hais pas.
Quant au principal but qu'Ésope[5] se propose,
10   J'y tombe au moins mal que je puis[6].
Enfin, si dans ces vers je ne plais et n'instruis,
Il ne tient pas à moi[7] ; c'est toujours quelque chose.
       Comme la force est un point[8]
       Dont je ne me pique point[9],
15 Je tâche d'y tourner le vice en ridicule,
Ne pouvant l'attaquer avec des bras d'Hercule[10].
C'est là tout mon talent ; je ne sais s'il suffit.

---

1. *À M.L.C.D.B.* : à M. le comte de Brienne, ami de La Fontaine, secrétaire d'État et critique réputé rencontré chez Fouquet.
2. *Suffrage* : approbation.
3. *Curieux* : minutieux, recherché.
4. *Traits* : effets de style (voir p. 191).
5. *Ésope* : auteur grec de fables (voir note 3 p. 31).
6. *J'y tombe ... je puis* : j'y parviens du mieux que je peux.
7. *Il ne tient pas à moi* : ce n'est pas de ma faute.
8. *Un point* : ici, une chose.
9. *Dont je ne me pique point* : dont je ne me fais pas gloire.
10. *Hercule* : héros de l'Antiquité ayant accompli douze travaux (exploits).

                Tantôt je peins en un récit
La sotte vanité jointe avecque l'envie,
20 Deux pivots[1] sur qui roule[2] aujourd'hui notre vie :
                Tel est ce chétif[3] animal
Qui voulut en grosseur au bœuf se rendre égal.
J'oppose quelquefois, par une double image,
Le vice à la vertu, la sottise au bon sens,
25   Les agneaux aux loups ravissants[4],
La mouche à la fourmi ; faisant de cet ouvrage
Une ample comédie à cent actes divers,
              Et dont la scène est l'univers.
Hommes, dieux, animaux, tout y fait quelque rôle[5],
30 Jupiter[6] comme un autre. Introduisons celui
Qui porte de sa part aux belles la parole[7] :
Ce[8] n'est pas de cela qu'il s'agit aujourd'hui.

Un Bûcheron perdit son gagne-pain,
C'est sa cognée[9] ; et la cherchant en vain,
35 Ce fut pitié là-dessus de l'entendre.
Il n'avait pas des outils à revendre[10] ;
Sur celui-ci roulait tout son avoir[11].
Ne sachant donc où mettre son espoir,
Sa face était de pleurs toute baignée :
40 « Ô ma cognée ! ô ma pauvre cognée !
S'écriait-il : Jupiter, rends-la-moi ;
Je tiendrai l'être[12] encore un coup de toi. »

---

1. *Pivots* : axes.
2. *Sur qui roule* : autour desquels tourne.
3. *Chétif* : misérable, méprisable.
4. *Ravissants* : ravisseurs.
5. *Tout y fait quelque rôle* : tout y joue un rôle.
6. *Jupiter* : roi des dieux latins.
7. *Celui qui ... la parole* : il s'agit de Mercure, messager des dieux.
8. *Ce* : ici, mais ce.
9. *Sa cognée* : sa hache.
10. *Des outils à revendre* : tellement d'outils (qu'il puisse en revendre).
11. *Sur ... son avoir* : celui-ci représentait tout ce qu'il possédait.
12. *Je tiendrai l'être* : je tiendrai l'existence, je te devrai une seconde fois la vie.

Sa plainte fut de l'Olympe entendue.
Mercure vient. « Elle n'est pas perdue,
45 Lui dit ce dieu; la connaîtras-tu[1] bien?
Je crois l'avoir près d'ici rencontrée. »
Lors une d'or[2] à l'homme étant montrée,
Il répondit : « Je n'y demande rien[3]. »
Une d'argent succède à la première,
50 Il la refuse; enfin une de bois :
« Voilà, dit-il, la mienne cette fois;
Je suis content si j'ai cette dernière.
— Tu les auras, dit le dieu, toutes trois :
Ta bonne foi sera récompensée.
55 — En ce cas-là je les prendrai », dit-il.
L'histoire en est aussitôt dispersée[4];
Et boquillons[5] de perdre leur outil,
Et de crier pour se le faire rendre.
Le roi des dieux ne sait auquel entendre[6].
60 Son fils Mercure aux criards vient encor[7];
À chacun d'eux il en montre une d'or.
Chacun eût cru passer pour une bête
De ne pas dire aussitôt : « La voilà! »
Mercure, au lieu de donner celle-là,
65 Leur en décharge un grand coup sur la tête.

Ne point mentir, être content du sien[8],
C'est le plus sûr : cependant on s'occupe
À dire faux pour attraper du bien[9].
Que[10] sert cela? Jupiter n'est pas dupe.

---

1. *La connaîtras-tu ? :* la reconnaîtras-tu ?
2. *Lors une d'or :* alors une hache d'or.
3. *Je n'y demande rien :* je ne la réclame pas.
4. *Dispersée :* répandue.
5. *Boquillons :* bûcherons (terme vieilli et familier, voir p. 189).
6. *Auquel entendre :* qui écouter.
7. *Aux criards vient encor :* vient encore voir ceux qui crient.
8. *Être content du sien :* être content de ce que l'on possède.
9. *Du bien :* de l'argent.
10. *Que :* à quoi.

2. Le Pot de terre et le Pot de fer

Le Pot de fer proposa
Au Pot de terre un voyage.
Celui-ci s'en excusa[1],
Disant qu'il ferait que sage[2]
5 De garder le coin du feu ;
Car il lui fallait si peu,
Si peu, que la moindre chose
De son débris[3] serait cause :
Il n'en reviendrait morceau.
10 « Pour vous, dit-il, dont la peau
Est plus dure que la mienne,
Je ne vois rien qui vous tienne[4].
— Nous vous mettrons à couvert,
Repartit le Pot de fer :
15 Si quelque matière dure
Vous menace d'aventure[5],
Entre deux je passerai,
Et du coup vous sauverai. »
Cette offre le persuade.
20 Pot de fer son camarade
Se met droit à ses côtés.
Mes gens s'en vont à trois pieds,
Clopin-clopant comme ils peuvent,
L'un contre l'autre jetés
25 Au moindre hoquet[6] qu'ils treuvent[7].
Le Pot de terre en souffre ; il n'eut pas fait cent pas

---

1. *S'en excusa* : refusa poliment.
2. *Il ferait que sage* : il ferait ce que ferait un sage.
3. *Son débris* : sa destruction.
4. *Tienne* : retienne.
5. *D'aventure* : par hasard.
6. *Hoquet* : cahot.
7. *Treuvent* : trouvent (forme archaïque, voir p. 187).

Que par son compagnon il fut mis en éclats,
Sans qu'il eût lieu[1] de se plaindre.

Ne nous associons qu'avecque nos égaux,
Ou bien il nous faudra craindre
Le destin d'un de ces pots.

Le Pot de terre et le Pot de fer.
Gravure de Pierre-François Godard (1768-1838).
Bibliothèque nationale, Paris.

---

1. *Qu'il eût lieu :* qu'il eût raison.

111

3. Le petit Poisson et le Pêcheur

Petit Poisson deviendra grand,
Pourvu que Dieu lui prête vie;
Mais le lâcher en attendant,
Je tiens[1] pour moi que c'est folie :
5 Car de le rattraper il n'est pas[2] trop certain.

Un Carpeau[3], qui n'était encore que fretin[4],
Fut pris par un Pêcheur au bord d'une rivière.
« Tout fait nombre, dit l'homme en voyant son butin;
Voilà commencement de chère[5] et de festin :
10 　　　　Mettons-le en notre gibecière. »
Le pauvre Carpillon lui dit en sa manière :
« Que ferez-vous de moi? Je ne saurais fournir
　　　　Au plus qu'une demi-bouchée.
　　　　Laissez-moi carpe devenir :
15 　　　　Je serai par vous repêchée;
Quelque gros partisan[6] m'achètera bien cher :
　　　　Au lieu qu'il vous en faut chercher
　　　　Peut-être encor cent de ma taille
Pour faire un plat : quel plat? croyez-moi, rien qui vaille.
20 — Rien qui vaille? Eh bien! soit, repartit le Pêcheur :
Poisson, mon bel ami, qui faites le prêcheur,

---

1. *Je tiens* : je pense.
2. *Car de le rattraper il n'est pas* : car le rattraper n'est pas.
3. *Un carpeau* : une petite carpe (voir « carpillon », au vers 11).
4. *Fretin* : petit poisson, de peu de valeur.
5. *Chère* : bon repas.
6. *Gros partisan* : important financier qui avançait à l'État le produit des impôts puis se chargeait de les faire payer. L'opération rapportait de très importants bénéfices.

Vous irez dans la poêle ; et vous avez beau dire,
Dès ce soir on vous fera frire. »

Un Tiens vaut, ce dit-on[1], mieux que deux Tu l'auras[2] :
25   L'un est sûr, l'autre ne l'est pas.

6. La Vieille et les deux Servantes

Il était une Vieille ayant deux chambrières[3] :
Elles filaient si bien que les sœurs filandières[4]
Ne faisaient que brouiller[5] au prix de[6] celles-ci.
La Vieille n'avait point de plus pressant souci
5   Que de distribuer aux Servantes leur tâche.
Dès que Téthys[7] chassait Phébus aux crins dorés[8],
Tourets[9] entraient en jeu, fuseaux[10] étaient tirés[11] ;
          Deçà, delà, vous en aurez[12] :
          Point de cesse[13], point de relâche.

---

1. *Ce dit-on* : on dit cela (formule toute faite, archaïque au xviie siècle, voir p. 187).
2. *Un Tiens vaut [...] mieux que deux Tu l'auras* : proverbe qui signifie qu'il vaut mieux avoir une chose qu'en espérer deux.
3. *Chambrières* : servantes, bonnes.
4. *Les sœurs filandières* : les Parques. Selon la mythologie antique, elles filaient la destinée des hommes (style burlesque, voir p. 187).
5. *Brouiller* : faire mal les choses, dans le désordre.
6. *Au prix de* : en comparaison avec.
7. *Téthys* : déesse antique de la Mer (femme d'Océan).
8. *Phébus aux crins dorés* : dieu latin du Soleil, qui conduisait un char aux chevaux de feu.
9. *Tourets* : petites roues du rouet.
10. *Fuseaux* : bâtons de bois autour desquels s'enroule le fil dévidé de la quenouille.
11. *Tirés* : sortis.
12. *Deçà, delà, vous en aurez* : du travail, en veux-tu, en voilà.
13. *Point de cesse* : pas d'arrêt.

10 Dès que l'Aurore, dis-je, en son char¹ remontait,
Un misérable Coq à point nommé² chantait;
Aussitôt notre Vieille, encor plus misérable,
S'affublait³ d'un jupon crasseux et détestable,
Allumait une lampe, et courait droit au lit
15 Où, de tout leur pouvoir, de tout leur appétit⁴,
        Dormaient les deux pauvres Servantes.
L'une entrouvrait un œil, l'autre étendait un bras;
        Et toutes deux, très mal contentes,
Disaient entre leurs dents : « Maudit Coq, tu mourras. »
20 Comme elles l'avaient dit, la bête fut grippée⁵,
Le réveille-matin eut la gorge coupée.
Ce meurtre n'amenda nullement leur marché⁶ :
Notre couple, au contraire, à peine était couché,
Que la Vieille, craignant de laisser passer l'heure,
25 Courait comme un lutin par toute sa demeure.
        C'est ainsi que le plus souvent,
Quand on pense sortir d'une mauvaise affaire,
        On s'enfonce encor plus avant :
        Témoin ce couple et son salaire⁷.
30 La Vieille, au lieu du Coq, les fit tomber par là
        De Charybde en Scylla⁸.

---

1. *Char* : le char aux chevaux de feu de Phébus.
2. *À point nommé* : au moment qu'il faut.
3. *S'affublait* : s'habillait.
4. *Appétit* : besoin physique.
5. *Grippée* : attrapée.
6. *N'amenda nullement leur marché* : n'arrangea pas leurs affaires.
7. *Son salaire* : le salaire du meurtre.
8. *De Charybde en Scylla* : dans le voyage d'Ulysse, Charybde et Scylla sont deux monstres qui gardaient un détroit (il s'agit du détroit entre l'Italie et la Sicile); quand on arrivait à échapper à l'un, on était pris par l'autre. L'expression signifie aujourd'hui : « de mal en pis ».

9. Le Laboureur et ses Enfants

Travaillez, prenez de la peine :
C'est le fonds[1] qui manque le moins.

Un riche Laboureur, sentant sa mort prochaine,
Fit venir ses Enfants, leur parla sans témoins.
5 « Gardez-vous, leur dit-il, de vendre l'héritage[2]
        Que nous ont laissé nos parents :
        Un trésor est caché dedans.
Je ne sais pas l'endroit; mais un peu de courage
Vous le fera trouver : vous en viendrez à bout.
10 Remuez votre champ dès qu'on aura fait l'oût[3] :
Creusez, fouillez, bêchez; ne laissez nulle place
        Où la main ne passe et repasse. »
Le Père mort, les Fils vous retournent le champ,
Deçà, delà, partout : si bien qu'au bout de l'an
15   Il en rapporta davantage.
D'argent, point de caché. Mais le Père fut sage
        De leur montrer, avant sa mort,
        Que le travail est un trésor.

12. Les Médecins

Le Médecin Tant-pis allait voir un malade
Que visitait aussi son confrère Tant-mieux.
Ce dernier espérait, quoique son camarade[4]
Soutînt que le gisant[5] irait voir ses aïeux[6].

---

1. *Le fonds* : le capital, l'ensemble des moyens dont on dispose.
2. *L'héritage* : la propriété.
3. *L'oût* : août, mois de la moisson, et donc par métonymie (voir p. 190) la moisson.
4. *Camarade* : collègue.
5. *Le gisant* : celui qui gît, le malade (adjectif employé comme nom).
6. *Voir ses aïeux* : périphrase (voir p. 190) pour « mourir ».

5 Tous deux s'étant trouvés différents pour la cure[1],
   Leur malade paya le tribut à nature[2],
   Après qu'en ses conseils Tant-pis eut été cru.
   Ils triomphaient encor sur cette maladie.
   L'un disait : « Il est mort; je l'avais bien prévu.
10 — S'il m'eût cru, disait l'autre, il serait plein de vie. »

13. La Poule aux œufs d'or

L'avarice[3] perd tout en voulant tout gagner.
      Je ne veux, pour le témoigner[4],
Que celui[5] dont la Poule, à ce que dit la fable,
      Pondait tous les jours un œuf d'or.
5 Il crut que dans son corps elle avait un trésor :
Il la tua, l'ouvrit, et la trouva semblable
À celles dont les œufs ne lui rapportaient rien,
S'étant lui-même ôté le plus beau de son bien.
      Belle leçon pour les gens chiches[6] !

10 Pendant ces derniers temps, combien en a-t-on vus[7]
Qui du soir au matin sont pauvres devenus,
      Pour vouloir[8] trop tôt être riches !

---

1. *Différents pour la cure :* en désaccord sur le traitement.
2. *Paya le tribut à nature :* mourut (paya ce qu'il devait à la nature).
3. *Avarice :* avidité, cupidité.
4. *Témoigner :* prouver.
5. *Que celui :* que l'exemple de celui.
6. *Chiches :* cupides.
7. *Combien en a-t-on vus :* allusion à des financiers qui avaient fait des fortunes, rapides mais malhonnêtes, et que Colbert fit condamner à restituer (le participe s'écrirait aujourd'hui « vu »).
8. *Pour vouloir :* parce qu'ils avaient voulu.

17. Le Lièvre et la Perdrix

Il ne se faut jamais moquer des misérables[1] :
Car qui peut s'assurer[2] d'être toujours heureux?
   Le sage Ésope[3] dans ses fables
   Nous en donne un exemple ou deux.
5   Celui qu'en ces vers je propose,
   Et les siens, ce sont même chose.

Le Lièvre et la Perdrix, concitoyens d'un champ[4],
Vivaient dans un état[5], ce semble[6], assez tranquille,
   Quand une meute s'approchant
10 Oblige le premier à chercher un asile :
Il s'enfuit dans son fort[7], met les chiens en défaut[8],
   Sans même en excepter Brifaut[9].
   Enfin il se trahit lui-même
Par les esprits[10] sortants de son corps échauffé.
15 Miraut[11], sur leur odeur ayant philosophé,
Conclut que c'est son Lièvre, et d'une ardeur extrême
Il le pousse[12] ; et Rustaut[13], qui n'a jamais menti,
   Dit que le Lièvre est reparti.
Le pauvre malheureux vient mourir à son gîte[14].

---

1. *Misérables :* malheureux, ceux qui sont dignes de pitié.
2. *S'assurer :* être sûr.
3. *Ésope :* auteur grec de fables (voir note 3 p. 31).
4. *Concitoyens d'un champ :* qui habitaient le même champ.
5. *Un état :* une situation.
6. *Ce semble :* apparemment (formule toute faite).
7. *Fort :* abri d'une bête sauvage (terme de chasse).
8. *Met les chiens en défaut :* les chiens perdent sa trace (terme de chasse).
9. *Brifaut :* nom de chien (littéralement, « celui qui mange », de « brifer », manger).
10. *Les esprits :* l'odeur.
11. *Miraut :* nom de chien (« celui qui regarde, observe »).
12. *Il le pousse :* il le pourchasse, le poursuit.
13. *Rustaut :* nom de chien (« le paysan, le lourdaud »).
14. *Son gîte :* son terrier.

117

20   La Perdrix le raille et lui dit :
        « Tu te vantais d'être si vite[1]!
Qu'as-tu fait de tes pieds? » Au moment qu'elle rit,
Son tour vient; on la trouve. Elle croit que ses ailes
La sauront garantir à toute extrémité[2];
25   Mais la pauvrette avait compté
        Sans l'autour[3] aux serres cruelles.

19.   Le Lion s'en allant en guerre

Le Lion dans sa tête avait une entreprise[4] :
Il tint conseil de guerre, envoya ses prévôts[5],
        Fit avertir les animaux.
Tous furent du dessein[6], chacun selon sa guise[7] :
5   L'Éléphant devait sur son dos
        Porter l'attirail nécessaire,
        Et combattre à son ordinaire[8];
        L'Ours, s'apprêter pour les assauts;
Le Renard, ménager de secrètes pratiques[9];
10 Et le Singe, amuser l'ennemi par ses tours.
« Renvoyez, dit quelqu'un, les Ânes, qui sont lourds,
Et les Lièvres, sujets à des terreurs paniques[10].
— Point du tout, dit le roi; je les veux employer :
Notre troupe sans eux ne serait pas complète.

---

1. *Si vite* : si rapide.
2. *À toute extrémité* : en dernier recours.
3. *Autour* : sorte de rapace, utilisé comme oiseau de chasse.
4. *Une entreprise* : un projet (de guerre).
5. *Prévôts* : hommes chargés d'une mission de surveillance ou d'organisation.
6. *Tous furent du dessein* : tous participèrent à la réalisation du projet.
7. *Selon sa guise* : conformément à ses capacités.
8. *À son ordinaire* : selon son habitude.
9. *Pratiques* : intrigues, ruses.
10. *Terreurs paniques* : terreurs qui troublent violemment l'esprit.

15 L'Âne effraiera les gens, nous servant de trompette ;
Et le Lièvre pourra nous servir de courrier[1]. »

Le monarque prudent et sage
De ses moindres sujets[2] sait tirer quelque usage,
Et connaît les divers talents[3].
20 Il n'est rien d'inutile aux personnes de sens[4].

20. L'Ours et les deux Compagnons

Deux Compagnons, pressés d'argent[5],
À leur voisin fourreur vendirent
La peau d'un Ours encor vivant,
Mais qu'ils tueraient bientôt, du moins à ce qu'ils dirent.
5 C'était le roi des Ours, au compte de ces gens[6].
Le marchand à[7] sa peau devait faire fortune ;
Elle garantirait des froids les plus cuisants :
On en pourrait fourrer[8] plutôt deux robes[9] qu'une.
Dindenaut[10] prisait[11] moins ses moutons qu'eux leur Ours :
10 Leur, à leur compte, et non à celui de la bête[12].
S'offrant de la livrer au plus tard dans deux jours,

---

1. *Courrier :* messager rapide.
2. *Ses moindres sujets :* ses sujets les moins importants.
3. *Talents :* capacités.
4. *De sens :* de bon sens, sages.
5. *Pressés d'argent :* qui avaient besoin d'argent.
6. *Au compte de ces gens :* à ce que disaient ces gens.
7. *À :* grâce à.
8. *Fourrer :* doubler de fourrure.
9. *Robes :* sortes de longues vestes portées par les hommes.
10. *Dindenaut :* allusion à une histoire que raconte Rabelais ; Dindenaut est un marchand de moutons qui exaspère son acheteur Panurge par l'éloge interminable qu'il fait de ses bêtes, pour les vendre plus cher.
11. *Prisait :* appréciait.
12. *Leur ... la bête :* eux, ils s'imaginaient que cet ours était à eux ; mais l'ours n'était pas de cet avis.

Ils conviennent de prix, et se mettent en quête,
Trouvent l'Ours qui s'avance et vient vers eux au trot.
Voilà mes gens frappés comme d'un coup de foudre.
15 Le marché ne tint pas; il fallut le résoudre[1] :
D'intérêts contre l'Ours, on n'en dit pas un mot[2].
L'un des deux Compagnons grimpe au faîte d'un arbre;
　　　　L'autre, plus froid que n'est un marbre,
Se couche sur le nez, fait le mort, tient son vent[3],
20 　　　　Ayant quelque part ouï[4] dire
　　　　Que l'Ours s'acharne peu souvent
Sur un corps qui ne vit, ne meut[5], ni ne respire.
Seigneur Ours, comme un sot, donna dans ce panneau[6]:
Il voit ce corps gisant[7], le croit privé de vie;
25 　　　　Et de peur de supercherie,
Le tourne, le retourne, approche son museau,
　　　　Flaire aux passages de l'haleine.
« C'est, dit-il, un cadavre; ôtons-nous, car il sent. »
À ces mots, l'Ours s'en va dans la forêt prochaine.
30 L'un de nos deux marchands de son arbre descend,
Court à son compagnon, lui dit que c'est merveille
Qu'il n'ait eu seulement que la peur pour tout mal.
« Eh bien! ajouta-t-il, la peau de l'animal?
　　　　Mais que t'a-t-il dit à l'oreille?
35 　　　　Car il s'approchait de bien près,
　　　　Te retournant avec sa serre[8].
　　　　— Il m'a dit qu'il ne faut jamais
Vendre la peau de l'Ours qu'on ne l'ait mis par terre. »

---

1. *Résoudre* : annuler (le marché).
2. L'ours n'aura pas à payer en compensation de la perte qu'il fait subir aux compagnons.
3. *Tient son vent* : retient sa respiration.
4. *Ouï* : entendu.
5. *Ne meut* : ne bouge (ne se meut).
6. *Donna dans ce panneau* : se laissa tromper (« panneau » signifie « filet, piège »).
7. *Ce corps gisant* : ce corps étendu.
8. *Serre* : ici, griffe.

L'Ours et les deux Compagnons.
Gravure de Pierre-Étienne Moitte (1722-1780)
d'après un dessin de Jean-Baptiste Oudry (1686-1755).

121

Livre V

LE POT DE TERRE ET LE POT DE FER

1. Clopin, clopant... : expliquez le choix des vers courts. Relevez ceux où La Fontaine cherche à évoquer la démarche clopinante des pots.

2. Une aventure burlesque (voir p. 187) : montrez que le principe du comique réside dans la description en une langue soutenue des aventures de deux Pots. (Donnez des exemples.)
Quel effet produit leur décision de voyager ? Pourquoi le Pot de terre n'a-t-il pas « lieu de se plaindre » ?
Relevez les mots qui décrivent les Pots comme des êtres humains.

LE PETIT POISSON ET LE PÊCHEUR

1. Une étrange scène de pêche : relevez les oppositions entre l'image traditionnelle du Poisson (on dit muet comme une carpe) et son don pour la parole dans cette fable (vers 11 à 19). Montrez que la scène se réduit au dialogue.
Quels sont les arguments du Pêcheur (v. 8-10) ?
Quels sont ceux du Carpeau (v. 12 à 19) ?
Notez les ressemblances entre les vers 19 et 20 ; que soulignent-ils ?
Comparez les vers 10 et 23 ; le Carpeau a-t-il réussi à convaincre le Pêcheur ?

2. Une fable encadrée de deux morales (voir p. 190) : la leçon est exprimée sous deux formes, l'une au début, l'autre à la fin ; cherchez les ressemblances et les différences entre ces deux morales. Montrez comment l'une a fonction d'introduction et l'autre de conclusion.

LE LABOUREUR ET SES ENFANTS

1. Quelle erreur le Laboureur craint-il de voir commettre par ses Enfants ? Quel autre défaut de ses Fils utilise-t-il pour leur donner cette leçon ?

2. Relevez tous les mots à double sens grâce auxquels le paysan leur prouve « que le travail est un trésor ». Montrez que le lecteur, lui aussi, ne découvre qu'à la fin la morale (voir p. 190) de l'histoire ?

3. Par quels moyens La Fontaine rend-il sensible l'impression d'effort, de travail (v. 11 à 14) ?

4. Sur quel ton faut-il lire cette fable ? N'est-il pas différent du ton que prend habituellement La Fontaine ?

LE LIÈVRE ET LA PERDRIX

1. Scène de chasse : relevez tous les mots appartenant au champ lexical (voir p. 187) de la chasse. Qu'apporte le fait d'avoir donné un nom aux chiens ?
Analysez l'impression produite par les enjambements (voir p. 27) des vers 15 à 18 et 23-24.
Quels mots expriment le malheur de la Perdrix ?

2. La morale (voir p. 190) : la Perdrix et le Lièvre ont eu le même défaut : lequel ? Quel autre défaut manifeste la Perdrix ? À quels mots sent-on la pitié de La Fontaine pour les victimes du mauvais sort ?

L'OURS ET LES DEUX COMPAGNONS

1. Un conte... : faites le plan de la fable. Comment les deux personnages sont-ils rendus ridicules, puis penauds ?

2. ... fort drôle ! Essayez de relever tout ce qui sert à provoquer le rire. Pour cela :
— étudiez l'utilisation du discours indirect, indirect libre, direct (voir p. 188) ;
— dites à quoi sert l'allusion à Dindenaut (v. 9) ;
— relevez et expliquez les mots techniques plaisamment utilisés (v. 11, 15 et 16) ;
— observez les figures de style (voir p. 189) : oppositions, exagérations, comparaisons, effets d'insistance, répétition ;
— expliquez les effets sonores (v. 23) et les rythmes (v. 19, 26-27, 28) ;
— essayez d'imaginer les gags (v. 14 et 30-31) mis en scène dans un film. Quels acteurs verriez-vous dans le rôle de deux hommes ? Justifiez votre réponse.

Phébus et Borée. Gravure de Pieter Martenisie (1729-1789)
d'après un dessin de Jean-Baptiste Oudry (1686-1755).

Livre VI

3. Phébus et Borée

Borée[1] et le Soleil[2] virent un Voyageur
     Qui s'était muni par bonheur
Contre le mauvais temps. On entrait dans l'automne,
Quand la précaution aux voyageurs est bonne :
5 Il pleut, le soleil luit, et l'écharpe d'Iris[3]
     Rend ceux qui sortent avertis[4]
Qu'en ces mois le manteau leur est fort nécessaire;
Les Latins les nommaient douteux[5], pour cette affaire[6].
Notre homme s'était donc à la pluie attendu :
10 Bon manteau bien doublé, bonne étoffe bien forte.
« Celui-ci, dit le Vent, prétend avoir pourvu
    À tous les accidents; mais il n'a pas prévu
    Que je saurai souffler de sorte
Qu'il n'est bouton qui tienne; il faudra, si je veux,
15   Que le manteau s'en aille au diable.
L'ébattement[7] pourrait nous en être agréable :
Vous plaît-il de l'avoir? — Eh bien, gageons nous deux[8],
     Dit Phébus, sans tant de paroles,

---

1. *Borée* : le vent du nord.
2. *Le Soleil* : Phébus (dieu latin du Soleil).
3. *L'écharpe d'Iris* : l'arc-en-ciel (écharpe de la déesse Iris, messagère des dieux).
4. *Rend ceux qui sortent avertis* : avertit ceux qui sortent.
5. *Douteux* : ceux auxquels on ne peut faire confiance.
6. *Affaire* : raison.
7. *Ébattement* : passe-temps, divertissement.
8. *Gageons nous deux* : parions tous les deux.

À qui plus tôt aura dégarni les épaules
20   Du Cavalier que nous voyons.
Commencez : je vous laisse obscurcir mes rayons. »
Il n'en fallut pas plus. Notre souffleur à gage[1]
Se gorge[2] de vapeurs, s'enfle comme un ballon,
      Fait un vacarme de démon,
25 Siffle, souffle, tempête, et brise, en son passage,
Maint toit[3] qui n'en peut mais[4], fait périr maint bateau,
      Le tout au sujet d'un manteau.
Le Cavalier eut soin d'empêcher que l'orage
      Ne se pût engouffrer dedans ;
30 Cela le préserva. Le Vent perdit son temps :
Plus il se tourmentait[5], plus l'autre tenait ferme ;
Il eut beau faire agir le collet et les plis.
      Sitôt qu'il fut au bout du terme[6]
      Qu'à la gageure[7] on avait mis,
35   Le Soleil dissipe la nue[8],
Récrée[9], et puis pénètre enfin le Cavalier,
      Sous son balandras[10] fait qu'il sue,
      Le contraint de s'en dépouiller :
      Encor n'usa-t-il pas de toute sa puissance.

40   Plus fait douceur que violence.

---

1. *À gage :* payé pour souffler ; ou bien qui a fait un pari, une gageure.
2. *Se gorge :* s'emplit.
3. *Maint toit :* de nombreux toits.
4. *Qui n'en peut mais :* qui n'y peut rien.
5. *Il se tourmentait :* il s'agitait.
6. *Terme :* durée fixée (pour réussir son pari).
7. *Gageure :* pari.
8. *La nue :* les nuages.
9. *Récrée :* apaise, réconforte.
10. *Balandras :* sorte de manteau.

5. Le Cochet, le Chat et le Souriceau

Un Souriceau tout jeune, et qui n'avait rien vu,
       Fut presque pris au dépourvu[1].
Voici comme il conta[2] l'aventure à sa mère :
« J'avais franchi les monts qui bornent[3] cet État,
5   Et trottais comme un jeune Rat
       Qui cherche à se donner carrière[4],
Lorsque deux animaux m'ont arrêté les yeux :
       L'un doux, bénin[5], et gracieux,
Et l'autre turbulent et plein d'inquiétude[6];
10   Il a la voix perçante et rude,
       Sur la tête un morceau de chair,
Une sorte de bras dont il s'élève en l'air
       Comme pour prendre sa volée,
       La queue en panache étalée. »
15 Or c'était un Cochet[7] dont notre Souriceau
       Fit à sa mère le tableau,
Comme d'un animal venu de l'Amérique.
« Il se battait, dit-il, les flancs avec ses bras,
       Faisant tel bruit et tel fracas,
20 Que moi, qui, grâce aux dieux, de courage me pique[8],
       En ai pris la fuite de peur,
       Le maudissant de très bon cœur.
       Sans lui j'aurais fait connaissance
Avec cet animal qui m'a semblé si doux :
25   Il est velouté comme nous,

---

1. *Pris au dépourvu :* surpris sans défense.
2. *Comme il conta :* comment il raconta.
3. *Bornent :* font la limite de.
4. *Se donner carrière :* élargir ses horizons.
5. *Bénin :* gentil, bienveillant.
6. *Inquiétude :* agitation.
7. *Cochet :* jeune coq.
8. *Me pique :* me glorifie, me vante.

Marqueté[1], longue queue, une humble contenance,
Un modeste regard, et pourtant l'œil luisant.
        Je le crois fort sympathisant
Avec Messieurs les Rats; car il a des oreilles
30   En figure[2] aux nôtres pareilles.
Je l'allais aborder, quand d'un son plein d'éclat
        L'autre m'a fait prendre la fuite.
— Mon fils, dit la Souris, ce doucet[3] est un Chat,
        Qui, sous son minois[4] hypocrite,
35   Contre toute ta parenté
        D'un malin vouloir[5] est porté.
        L'autre animal, tout au contraire,
        Bien éloigné de nous mal faire,
Servira quelque jour peut-être à nos repas.
40 Quant au Chat, c'est sur nous qu'il fonde sa cuisine.
        Garde-toi, tant que tu vivras,
        De juger des gens sur la mine. »

8.   Le Vieillard et l'Âne

Un Vieillard sur son Âne aperçut, en passant,
        Un pré plein d'herbe et fleurissant :
Il y lâche sa bête, et le grison[6] se rue
        Au travers de l'herbe[7] menue,
5   Se vautrant, grattant, et frottant,
        Gambadant, chantant, et broutant,

---

1. *Marqueté* : tacheté ou rayé.
2. *En figure* : de forme.
3. *Doucet* : doucereux.
4. *Minois* : mine, visage (mot populaire à l'époque).
5. *Malin vouloir* : volonté malfaisante.
6. *Le grison* : l'âne.
7. *Au travers de l'herbe* : dans l'herbe.

Et faisant mainte place[1] nette.
L'ennemi vient sur l'entrefaite[2].
« Fuyons, dit alors le Vieillard.
10 — Pourquoi? répondit le paillard[3] :
Me fera-t-on porter double bât[4], double charge?
— Non pas, dit le Vieillard, qui prit d'abord[5] le large.
— Et que m'importe donc, dit l'Âne, à qui je sois[6]?
Sauvez-vous, et me laissez paître.
15 Notre ennemi, c'est notre maître :
Je vous le dis en bon françois[7]. »

9. Le Cerf se voyant dans l'eau

Dans le cristal[8] d'une fontaine
Un Cerf se mirant[9] autrefois
Louait la beauté de son bois[10],
Et ne pouvait qu'avecque peine
5 Souffrir ses jambes de fuseaux[11],
Dont il voyait l'objet[12] se perdre dans les eaux.
« Quelle proportion de mes pieds à ma tête?

---

1. *Mainte place* : beaucoup d'endroits.
2. *Sur l'entrefaite* : pendant ce temps.
3. *Paillard* : homme qui couche sur la paille, d'où personnage grossier et paresseux. Le mot peut aussi être compris au sens propre, puisqu'il désigne l'âne.
4. *Bât* : ce qui permet de fixer les charges sur le dos de l'âne.
5. *D'abord* : aussitôt.
6. *À qui je sois* : à qui je suis (emploi latin du subjonctif).
7. *En bon françois* : en bon français, clairement, nettement.
8. *Le cristal* : l'eau claire comme du cristal.
9. *Se mirant* : se regardant.
10. *Son bois* : ses cornes.
11. *Fuseaux* : en forme de fuseaux (longues et minces).
12. *Objet* : spectacle, reflet.

Disait-il en voyant leur ombre avec douleur :
Des taillis les plus hauts mon front atteint le faîte[1] ;
10   Mes pieds ne me font point d'honneur. »
                 Tout en parlant de la sorte,
                 Un limier[2] le fait partir.
                 Il tâche à se garantir[3] ;
                 Dans les forêts il s'emporte[4].
15   Son bois, dommageable[5] ornement,
                 L'arrêtant à chaque moment,
                 Nuit à l'office[6] que lui rendent
                 Ses pieds, de qui ses jours dépendent.
Il se dédit[7] alors, et maudit les présents
20   Que le ciel lui fait tous les ans.

Nous faisons cas du beau, nous méprisons l'utile ;
           Et le beau souvent nous détruit.
Ce Cerf blâme ses pieds, qui le rendent agile ;
           Il estime un bois qui lui nuit.

10.   Le Lièvre et la Tortue

Rien ne sert de courir ; il faut partir à point[8] :
Le Lièvre et la Tortue en sont un témoignage.
« Gageons[9], dit celle-ci, que vous n'atteindrez point
Sitôt que[10] moi ce but. — Sitôt ? Êtes-vous sage ?

---

1. *Le faîte :* le sommet.
2. *Un limier :* un chien de chasse.
3. *Il tâche à se garantir :* il essaie de se mettre en sûreté.
4. *Il s'emporte :* il s'enfuit.
5. *Dommageable :* nuisible.
6. *Office :* service, secours.
7. *Il se dédit :* il renie ce qu'il a dit.
8. *À point :* au bon moment.
9. *Gageons :* parions.
10. *Sitôt que :* aussitôt que.

5   Repartit l'animal léger :
     Ma commère[1], il vous faut purger[2]
     Avec quatre grains d'ellébore[3].
     — Sage ou non, je parie encore. »
     Ainsi fut fait; et de tous deux
10   On mit près du but les enjeux[4] :
     Savoir quoi, ce n'est pas l'affaire,
     Ni de quel juge l'on convint.
Notre Lièvre n'avait que quatre pas à faire,
J'entends de ceux qu'il fait lorsque, prêt d'être atteint,
15   Il s'éloigne des chiens, les renvoie aux calendes[5],
     Et leur fait arpenter[6] les landes.
Ayant, dis-je, du temps de reste pour brouter,
     Pour dormir et pour écouter
D'où vient le vent, il laisse la tortue
20   Aller son train de sénateur[7].
     Elle part, elle s'évertue[8],
     Elle se hâte avec lenteur.
Lui cependant[9] méprise une telle victoire,
     Tient la gageure à peu de gloire[10],
25   Croit qu'il y va de son honneur
De partir tard. Il broute, il se repose,
     Il s'amuse[11] à toute autre chose

---

1. *Ma commère* : appellation familière (voir p. 189) entre voisins.
2. *Purger* : provoquer une diarrhée; une des méthodes de la médecine ancienne qui pensait qu'on se débarrassait ainsi de la maladie.
3. *Grains d'ellébore* : un grain était l'équivalent de 0,05 g. On croyait que l'ellébore soignait la folie.
4. *Les enjeux* : les prix.
5. *Renvoie aux calendes* : l'expression complète serait « renvoie aux calandes grecques ». Cela signifie renvoyer définitivement, puisque les calendes (le premier jour du mois dans le calendrier romain) n'existaient pas dans le calendrier grec.
6. *Arpenter* : parcourir (comme un arpenteur qui mesure un terrain).
7. *Aller son train de sénateur* : marcher comme un homme important et âgé.
8. *Elle s'évertue* : elle fait des efforts.
9. *Cependant* : pendant ce temps.
10. *Tient ... de gloire* : considère ce pari comme peu important.
11. *S'amuse* : s'attarde.

Qu'à la gageure. À la fin, quand il vit
Que l'autre touchait presque au bout de la carrière[1],
30 Il partit comme un trait; mais les élans qu'il fit
Furent vains : la Tortue arriva la première.
« Eh bien! lui cria-t-elle, avais-je pas raison?
De quoi vous sert votre vitesse?
Moi l'emporter! et que serait-ce
35 Si vous portiez une maison? »

11. L'Âne et ses Maîtres

L'Âne d'un jardinier se plaignait au destin
De ce qu'on le faisait lever devant[2] l'aurore.
« Les coqs, lui disait-il, ont beau chanter matin[3],
Je suis plus matineux[4] encore.
5 Et pourquoi? pour porter des herbes[5] au marché :
Belle nécessité d'interrompre mon somme! »
Le sort, de sa plainte touché,
Lui donne un autre Maître, et l'animal de somme[6]
Passe du jardinier aux mains d'un corroyeur[7].
10 La pesanteur des peaux et leur mauvaise odeur
Eurent bientôt choqué l'impertinente[8] bête.
« J'ai regret, disait-il, à[9] mon premier seigneur :
Encor, quand il tournait la tête,
J'attrapais, s'il m'en souvient bien,
15 Quelque morceau de chou qui ne me coûtait rien;

---

1. *Carrière* : espace à courir, piste.
2. *Devant* : avant.
3. *Matin* : tôt le matin.
4. *Matineux* : matinal, qui se lève tôt.
5. *Herbes* : légumes.
6. *Animal de somme* : animal domestique qui travaille.
7. *Corroyeur* : celui qui traite les peaux pour en faire du cuir.
8. *Impertinente* : sotte.
9. *À* : de.

Mais ici point d'aubaine[1]; ou, si j'en ai quelqu'une,
C'est de coups. » Il obtint changement de fortune[2],
    Et sur l'état[3] d'un charbonnier
    Il fut couché[4] tout le dernier.
20 Autre plainte. « Quoi donc? dit le sort en colère,
    Ce baudet-ci m'occupe autant
    Que cent monarques pourraient faire.
Croit-il être le seul qui ne soit pas content?
    N'ai-je en l'esprit que son affaire? »

25 Le sort avait raison. Tous gens sont ainsi faits :
Notre condition jamais ne nous contente;
    La pire est toujours la présente;
Nous fatiguons le ciel à force de placets[5].
Qu'à chacun Jupiter[6] accorde sa requête[7],
30   Nous lui romprons encor la tête[8].

16.   Le Cheval et l'Âne

En ce monde il se faut l'un l'autre secourir :
    Si ton voisin vient à mourir,
    C'est sur toi que le fardeau tombe.

Un Âne accompagnait un Cheval peu courtois[9],
5 Celui-ci ne portant que son simple harnois[10],

---

1. *Aubaine :* heureux hasard.
2. *Fortune :* sort.
3. *État :* liste des employés et des domestiques d'un grand personnage.
4. *Couché :* mis.
5. *Placets :* demandes (par écrit).
6. *Jupiter :* roi des dieux latins.
7. *Requête :* prière, demande.
8. *Nous lui romprons ... la tête :* nous lui casserons les oreilles.
9. *Courtois :* poli.
10. *Harnois :* harnais, équipement d'un cheval.

Et le pauvre Baudet si chargé, qu'il succombe.
Il pria le Cheval de l'aider quelque peu :
Autrement il mourrait devant qu'être[1] à la ville.
« La prière, dit-il, n'en est pas incivile[2] :
10 Moitié de ce fardeau ne vous sera que jeu[3]. »
Le Cheval refusa, fit une pétarade[4] :
Tant qu'il[5] vit sous le faix[6] mourir son camarade,
          Et reconnut qu'il avait tort.
          Du Baudet, en cette aventure,
15   On lui fit porter la voiture[7],
          Et la peau par-dessus encor.

18. Le Chartier embourbé

          Le phaéton[8] d'une voiture à foin
Vit son char embourbé. Le pauvre homme était loin
De tout humain secours : c'était à la campagne,
Près d'un certain canton[9] de la basse Bretagne,
5   Appelé Quimper-Corentin.
          On sait assez que le destin
Adresse[10] là les gens quand il veut qu'on enrage[11] :
          Dieu nous préserve du voyage !

---

1. *Devant qu'être :* avant d'être.
2. *Incivile :* impolie, importune.
3. *Ne vous sera que jeu :* ne sera pour vous qu'un jeu (quelque chose de facile).
4. *Pétarade :* série de pets que laissent échapper certains animaux en ruant.
5. *Tant qu'il :* si bien qu'il.
6. *Le faix :* la charge.
7. *La voiture :* le chargement.
8. Phaéton était le fils du Soleil. Il conduisit le char de son père mais ne sut pas le diriger, provoqua des catastrophes et fut foudroyé par Jupiter, le roi des dieux latins. Ici, l'expression désigne de façon burlesque un « cocher ».
9. *Canton :* partie reculée d'un pays.
10. *Adresse :* conduit.
11. *Qu'on enrage :* qu'on devienne enragé (au sens figuré).

Pour venir au Chartier[1] embourbé dans ces lieux,
10   Le voilà qui déteste[2] et jure de son mieux,
           Pestant, en sa fureur extrême,
    Tantôt contre les trous, puis contre ses chevaux,
           Contre son char, contre lui-même.
    Il invoque à la fin le dieu dont les travaux
15   Sont si célèbres dans le monde[3] :
    « Hercule, lui dit-il, aide-moi. Si ton dos
           A porté la machine ronde[4],
           Ton bras peut me tirer d'ici. »
    Sa prière étant faite, il entend dans la nue[5]
20   Une voix qui lui parle ainsi :
           « Hercule veut qu'on se remue ;
    Puis il aide les gens. Regarde d'où provient
           L'achoppement[6] qui te retient ;
           Ote d'autour de chaque roue
25   Ce malheureux mortier[7], cette maudite boue
           Qui jusqu'à l'essieu les enduit[8] ;
    Prends ton pic et me romps ce caillou[9] qui te nuit ;
    Comble-moi cette ornière. As-tu fait ? — Oui, dit l'homme.
    — Or bien je vas[10] t'aider, dit la voix. Prends ton fouet.
30   — Je l'ai pris. Qu'est ceci ? mon char marche à souhait[11] :
    Hercule en soit loué ! » Lors[12] la voix : « Tu vois comme
    Tes chevaux aisément se sont tirés de là.
           Aide-toi, le Ciel t'aidera. »

---

1. *Pour venir au Chartier :* pour revenir au charretier.
2. *Déteste :* dit des jurons, des malédictions.
3. *Le dieu... monde :* Hercule, le héros de l'Antiquité qui, grâce à sa force, vint à bout de douze épreuves, douze « travaux ».
4. *La machine ronde :* la Terre.
5. *La nue :* les nuages, les cieux.
6. *Achoppement :* obstacle.
7. *Mortier :* matière pâteuse, épaisse.
8. *Jusqu'à ... enduit :* recouvre les roues jusqu'en leur centre.
9. *Me romps ce caillou :* casse-moi ce caillou.
10. *Je vas :* je vais (correct au XVIIe siècle).
11. *À souhait :* bien (comme je le souhaitais).
12. *Lors :* alors.

135

21. La Jeune Veuve

La perte d'un époux ne va point sans soupirs;
On fait beaucoup de bruit; et puis on se console :
Sur les ailes du Temps la tristesse s'envole,
      Le Temps ramène les plaisirs.
5   Entre la veuve d'une année
          Et la veuve d'une journée
La différence est grande; on ne croirait jamais
      Que ce fût la même personne :
L'une fait fuir les gens, et l'autre a mille attraits[1].
10 Aux soupirs vrais ou faux celle-là s'abandonne;
C'est toujours même note et pareil entretien[2];
      On dit qu'on est inconsolable;
      On le dit, mais il n'en est rien,
      Comme on verra par cette fable,
15   Ou plutôt par la vérité.

      L'époux d'une jeune beauté
Partait pour l'autre monde. À ses côtés, sa femme
Lui criait : « Attends-moi, je te suis; et mon âme,
Aussi bien que la tienne, est prête à s'envoler. »
20   Le mari fait seul le voyage.
La belle avait un père, homme prudent et sage;
      Il laissa le torrent couler.
      À la fin, pour la consoler :
« Ma fille, lui dit-il, c'est trop verser de larmes :
25 Qu'a besoin le défunt[3] que vous noyiez vos charmes?
Puisqu'il est des vivants, ne songez plus aux morts.
      Je ne dis pas que tout à l'heure[4]
      Une condition meilleure

---

1. *Attraits :* tout ce qui peut plaire, attirer.
2. *Entretien :* discours.
3. *Qu'a besoin le défunt :* en quoi le défunt a-t-il besoin.
4. *Tout à l'heure :* tout de suite.

La Jeune Veuve.
Illustration de Gustave Doré de 1868.

   Change en des noces ces transports[1];
30 Mais après certain temps, souffrez[2] qu'on vous propose
Un époux beau, bien fait, jeune, et tout autre chose
    Que le défunt. — Ah! dit-elle aussitôt,
    Un cloître[3] est l'époux qu'il me faut. »
Le père lui laissa digérer[4] sa disgrâce[5].
35   Un mois de la sorte se passe;
L'autre mois, on l'emploie à changer tous les jours
Quelque chose à l'habit, au linge, à la coiffure :
    Le deuil enfin sert de parure,
    En attendant d'autres atours[6];
40   Toute la bande des amours

---

1. *Transports* : violentes émotions (ici, douleur).
2. *Souffrez* : permettez.
3. *Cloître* : couvent.
4. *Digérer* : s'accoutumer à, s'habituer à (style soutenu).
5. *Disgrâce* : malheur.
6. *Atours* : parures.

137

Revient au colombier[1]; les jeux, les ris[2], la danse,
   Ont aussi leur tour à la fin :
   On se plonge soir et matin
   Dans la fontaine de Jouvence[3].
45 Le père ne craint plus ce défunt tant chéri;
Mais comme il ne parlait de rien à notre belle :
   « Où donc est le jeune mari
   Que vous m'avez promis? » dit-elle.

De la fontaine

---

1. Les amours sont souvent figurés par des colombes (la colombe est l'oiseau de Vénus, déesse de l'Amour).
2. *Ris* : rires.
3. La fontaine de Jouvence rajeunissait, selon la légende, tous ceux qui s'y baignaient.

Livre VI

PHÉBUS ET BORÉE

1. « Plus fait douceur que violence » (v. 40) : montrez par quels moyens La Fontaine traduit l'instabilité du temps (v. 5 à 7).

Comparez le nombre de vers consacrés à Borée au nombre de vers consacrés à Phébus ; qui parle le plus ? qui agit le plus ? est-ce celui qui sera vainqueur ?

Comment La Fontaine rend-il sensible l'opposition entre la violence de l'un et la douceur de l'autre ? Qu'apporte le vers 39 ?

2. Un « jeu de princes » *(le Jardinier et son Seigneur)* : comment l'homme est-il traité par les dieux ?

De quelle façon l'assurance de Borée est-elle soulignée ? Que laisse supposer l'attitude de Phébus ?

Montrez l'ironie (voir p. 189), mais aussi la précision, des vers qui décrivent les vains efforts du Vent (v. 23 à 32).

LE COCHET, LE CHAT ET LE SOURICEAU

1. Un jeu de société, la devinette : qu'est-ce qui rend vraisemblable la façon dont le Souriceau décrit les animaux au lieu de les nommer ?

Montrez que les périphrases (voir p. 190) s'organisent ici en deux petites devinettes (v. 9 à 14 et 25 à 30).

Par quels moyens La Fontaine évoque-t-il le caractère de chaque animal (rythme, sonorités) ? Relevez les adjectifs qui montrent l'opposition entre les deux animaux.

Pourquoi le Souriceau a-t-il peur du Coq ? Qu'est-ce qui lui donne confiance dans le Chat ?

2. Un récit épique (v. p. 188) : relevez tous les termes qui appartiennent à la langue soutenue.

Pour qui se prend le Souriceau ? Quelle impression cela produit-il ?

En quoi la description du Cochet évoque-t-elle celle « d'un animal venu de l'Amérique » (v. 17) ? Que peut signifier cette expression au XVIIᵉ siècle ?

3. La morale (voir p. 190) : comment la Souris reprend-elle l'opposition entre les deux animaux ? Quel changement d'opinion enseigne-t-elle à son Souriceau ?

Vous attendiez-vous à cette morale ? Pourquoi ?

LE LIÈVRE ET LA TORTUE

1. Le pari (v. 2 à 12) : relevez les mots appartenant au champ lexical (voir p. 187) du pari.

Pourquoi le mot « sage » est-il répété (v. 4 et v. 8) ? Que signifient les vers 6-7 ?

Montrez le double sens de la périphrase (voir p. 190) du vers 5.

2. La course (v. 13 à 31) : relevez les mots appartenant au champ lexical de la vitesse (et de son contraire).

En vous fondant sur des exemples précis, montrez que les vers 13 à 18 décrivent bien la vie réelle du Lièvre, mais qu'ils jouent aussi un rôle important dans le récit.

Observez le jeu des pronoms personnels (v. 21 à 31); sur qui insiste La Fontaine ? pourquoi ?

Par quels moyens la lenteur de la Tortue est-elle évoquée (v. 20 à 22) ?

Quel trait de caractère du Lièvre rend le dénouement vraisemblable (voir p. 188) ? Notez les vers qui le décrivent.

3. La morale (v. 32 à 35) : pourquoi la Tortue crie-t-elle (v. 32) ?

Montrez que l'animation des paroles de la Tortue s'oppose à sa lenteur.

Que pensez-vous du mot de la fin (v. 34-35) ?

LE CHARTIER EMBOURBÉ

1. Un mélange de réalité familière et de mythologie (voir p. 190) : relevez les expressions qui décrivent des éléments concrets de la vie quotidienne. À votre avis, pourquoi La Fontaine, à l'inverse de ce qu'il fait dans les autres fables, donne-t-il ici des indications géographiques précises ?

Expliquez les expressions qui évoquent la mythologie gréco-latine. Pourquoi La Fontaine emploie-t-il une périphrase (voir p. 190) pour désigner Hercule (v. 14-15) ? Pourriez-vous citer quelques-uns des douze travaux d'Hercule ? À quel épisode d'un de ces travaux les vers 16-17 font-ils allusion ?

Quel est l'effet produit par la rencontre de ces deux types d'expressions ?

2. Une aide en forme de leçon : le Chartier commence par se mettre en colère; comment La Fontaine la décrit-il ? Montrez qu'il fait en même temps sentir son absurdité.

Quelle impression produisent les vers 19-20 ?

140

Pourquoi l'action est-elle décrite au travers des paroles d'Hercule ?
Relevez les verbes à l'impératif; à votre avis, pourquoi y en a-t-il beaucoup ?
Cherchez comment La Fontaine traduit l'effort (étudiez de près les sonorités, les enjambements, le choix du vocabulaire, le rythme).
Comment comprenez-vous les vers 29-30 ?
Analysez les effets de rythme des vers 31 à 33. Quelle phrase du texte reprend la morale (voir p. 190) ?

LA JEUNE VEUVE

1. La satire (voir p. 191) de l'infidélité : montrez que les vers 1 à 15 décrivent de façon générale une sorte de situation, et que les vers 16 à 48 servent d'exemple; à quelle partie du récit correspondent les vers 1-2 ? les vers 3-4 ? Quels vers suivants illustrent les vers 10 à 12 ?
Comment La Fontaine souligne-t-il le changement des sentiments (v. 1 à 15) ? Relevez les mots qui s'opposent deux par deux et les mots qui se répètent.
À votre avis, pourquoi y a-t-il la correction « ou plutôt » dans les vers 14-15 ? Quel sens prend ici le mot « fable » ?

2. La comédie humaine : relevez les vers qui montrent l'ironie (voir p. 189) du père et celle du narrateur (voir p. 190).
Quelles sont les preuves de la sagesse du père ? Quels sentiments peuvent expliquer la réponse de la jeune Veuve (v. 32-33) ?
Étudiez le rythme, le vocabulaire, les images qui évoquent la jeunesse et ses plaisirs (v. 36 à 44).
Comment le comique des deux derniers vers est-il souligné ?
La Fontaine se montre-t-il vraiment misogyne (c'est-à-dire hostile aux femmes) ? Qu'est-ce qui rend la satire (voir p. 191) moins méchante ?

Table des matières
des fables de ce recueil

Livre III

Livre IV

Livre V

Livre VI

Documentation
thématique

La société
sous le règne du Roi-Soleil, p. 146

Au temps
où les bêtes parlaient, p. 155

La société
sous le règne du Roi-Soleil

Les animaux de la fable vivent en société, et cette société, décrite par La Fontaine, n'est pas si imaginaire que cela. Les dialogues entre le Chien et le Loup, le Loup et l'Agneau, le Lion et les autres animaux reproduisent les rapports qui existaient entre le roi et sa noblesse, entre ceux qui étaient puissants par leur naissance ou par leur fortune et les faibles, vilains et manants... Ainsi toutes ces scènes sont-elles fortement marquées par la société inégalitaire de l'Ancien Régime. Sous le règne de Louis XIV, la vie sociale est tout entière organisée autour du système du privilège : les individus ne naissent ni ne demeurent égaux en droit. Le peuple français est divisé en trois « ordres » : le clergé, la noblesse, le tiers état.

Le clergé

Il regroupe tous ceux qui sont entrés au service de Dieu : moines et religieuses (le clergé régulier), prêtres de rang plus ou moins élevé (le clergé séculier).

Le XVIIe siècle est un siècle très religieux et le clergé représente une part importante de la population. Il joue un rôle essentiel dans la vie quotidienne : naissance, mariage, mort, rien de tout cela ne se fait sans le prêtre. Le clergé tient le registre des baptêmes, dirige les écoles et les hôpitaux...

C'est le seul ordre qui ne soit pas défini par la naissance : tout Français peut en effet appartenir au clergé. Il ne faudrait cependant pas croire que l'égalité y est la règle. Les fils de paysans entrés dans le clergé peuvent ainsi espérer échapper à la misère, mais très peu d'entre eux deviendront évêques, cardinaux, abbés ou chanoines. Ces hautes fonctions sont, en effet, réservées aux fils des familles nobles ou de la grande bourgeoisie. C'est donc bien l'origine familiale qui fait que l'un est simple curé de village et l'autre archevêque, l'un frère lai (serviteur des moines) et l'autre abbé du même monastère. Et le grand (personnage important) de l'Église, qui vit souvent dans le même luxe que la haute noblesse, traite ses inférieurs avec autant de mépris que le seigneur ses paysans. D'ailleurs, il est souvent seigneur lui-même car l'Église est riche et possède beaucoup de terres.

Les fables de La Fontaine ne mettent pratiquement pas en scène les prêtres, sans doute parce que les modèles antiques ne contenaient pas ce type de personnage. Tout au plus peut-on sourire du « chapitre de chanoines » (II, 2) où les moines sont des rats...

La noblesse (l'aristocratie)

La noblesse d'épée

C'est de naissance que l'on est gentilhomme. Être noble, c'est posséder un château, une propriété dont on est le seigneur, et en vivre. Un noble n'exerce aucun métier, en dehors de l'exploitation de ses terres; il a pour cela un intendant et des paysans sous ses ordres. Il est aussi au service du roi. La Fontaine nous montre ainsi Racan (Honorat de Bueil, marquis de Racan) s'interroger sur sa carrière (III, 1). Grâce à cela, il paie peu d'impôts mais doit verser (théoriquement au moins) l'impôt du sang au roi, c'est-à-dire qu'il doit faire la guerre pour lui.

Tous les nobles bénéficient de privilèges importants : le droit de porter l'épée, le droit de chasse (c'est pourquoi le Jardinier doit faire appel à son Seigneur pour chasser le lièvre qui est pourtant dans son jardin), le droit de percevoir sur les paysans certaines taxes et d'obtenir d'eux des journées de travail non payées, la corvée (I, 16).

La noblesse est hiérarchisée aussi : du chevalier au prince du sang (membre de la famille royale), en passant par baron, comte, marquis, duc, il y a une grande différence. Tous partagent cependant la conviction d'être d'une race à part, supérieure aux autres : le noble est celui qui est « né », qui a du « sang bleu » et qui peut presque tout se permettre (comme le Seigneur du Jardinier, IV, 4). Pourtant, tous sont loin de vivre de la même manière : certains, qui ne possèdent que quelques terres, rencontrent à peu près les mêmes difficultés que les riches paysans ; d'autres, au contraire, propriétaires de domaines immenses, demeurent à la cour, auprès du roi, accompagnés de gentilshommes de moindre rang qui « appartiennent à leur maison ».

Les courtisans

Louis XIV souhaite, pour mieux contrôler la haute noblesse, la garder à ses côtés. Aussi, de plus en plus de nobles n'auront d'autre ambition que de vivre dans son palais (au Louvre, puis à Versailles à partir de 1682). Ils le suivent lors de ses déplacements à Saint-Germain ou à Fontainebleau, souvent pour la chasse, un des divertissements les plus appréciés. Ils accompagnent le roi dans sa vie quotidienne : petit lever (où ne sont admis que quelques favoris), grand lever, repas, promenade, jeu (on joue beaucoup aux cartes, aux dés, et on parie des sommes très élevées), bals, fêtes somptueuses où théâtre, ballet, feu d'artifice se succèdent.

Le souci principal des courtisans est de plaire au roi, d'obtenir de lui une parole ou un sourire qui les distingue. Car tout dépend du monarque : les places et les pensions. Hommes et femmes rivalisent d'élégance et de richesse dans des costumes aux couleurs chatoyantes, décorés de pierreries, mais ils rivalisent aussi de flatteries envers les hauts personnages et le roi. En effet, « ... tout flatteur / Vit aux dépens de celui qui l'écoute » (I, 2). Tout est théâtre et vanité à la cour, et bien rares y sont la franchise, la loyauté et même, selon La Fontaine, l'intelligence (IV, 14).

Les anoblis

Le roi peut accorder un titre de noblesse à qui lui plaît. Certains sont anoblis en récompense de services rendus à l'État (par exemple l'écrivain Racine ou le musicien Lully). Mais, le plus souvent, deviennent nobles ceux qui remplissent une charge administrative, financière ou judiciaire importante. Ainsi s'est constituée ce qu'on appelle la « noblesse de robe ». Souvent très riches, ces nouveaux nobles viennent de la bourgeoisie, la partie la plus fortunée et la plus cultivée du tiers état.

Le tiers état

Quand on est roturier (non noble), si on ne fait pas partie du clergé, on appartient au tiers état (le troisième état). Cet ordre regroupe en fait des individus bien différents les uns des autres. En effet, qu'y a-t-il de commun entre le ministre Colbert ou le riche financier Fouquet, qui vit comme un seigneur au milieu de sa cour dans son château de Vaux-le-Vicomte, et le pauvre bûcheron accablé de misères dont La Fontaine fait le portrait dans *la Mort et le Bûcheron* (I, 16)?

Les paysans

L'énorme majorité du tiers état (et de la population française) est constituée par les paysans, les vilains ou les manants. Assez rares sont parmi eux les riches laboureurs (propriétaires du domaine qu'ils cultivent), comme ceux qui apparaissent dans *l'Alouette et ses Petits avec le Maître d'un champ* (IV, 22) ou dans *le Laboureur et ses Enfants* (V, 9). La plupart sont tenanciers, métayers ou fermiers, c'est-à-dire qu'ils cultivent les terres d'un seigneur en échange d'un loyer plus ou moins important (il peut aller jusqu'à la moitié de la récolte).

Nombre de ces paysans connaissent des conditions de vie difficiles. Les fermes sont petites, inconfortables. Ils sont souvent fort mal vêtus, fort mal chaussés : ils portent des sabots ou bien vont pieds nus. La base de leur nourriture est le pain, les légumes; de viande, presque jamais : d'où la joie du « croquant » qui voit déjà la colombe « en son pot » (II, 12)! En travaillant très dur toute l'année, ils arrivent à survivre, mais les charges sont lourdes (impôts au roi, au seigneur, à l'Église), et, au

Le riche Laboureur
de *l'Alouette et ses petits avec le Maître d'un champ.*
Gravure de L. Lempereur d'après un dessin de J.-B. Oudry.

moindre accident (guerre, maladie, mauvaise récolte), c'est la famine et la misère. On devient alors ouvrier agricole ou même un de ces vagabonds, « cancres, hères et pauvres diables », qui hantent les chemins et que les chiens sont chargés de chasser (I, 5).

Les bourgeois

Les habitants des villes, les « bourgeois », vivent en général un peu mieux : l'artisanat et le commerce permettent des revenus meilleurs, des habitations plus confortables. Leur costume est généralement de couleur sombre, mais de bonne qualité ; ils mangent à leur faim, peuvent se constituer quelques réserves (IV, 4). Lorsqu'ils parviennent à s'enrichir, ils peuvent faire suivre des études à leurs enfants, acheter des charges qui leur permettent d'accéder à la catégorie supérieure des « officiers », et même se faire construire, comme les nobles, de beaux hôtels particuliers (« Tout bourgeois veut bâtir comme les grands seigneurs », I, 3).

Les « officiers » sont ceux qui ont acheté un office, une charge, c'est-à-dire un emploi dans l'administration royale ou régionale, dans les finances ou la justice. Les magistrats, en particulier, sont des personnages importants de la vie sociale, souvent objets de critiques pour leur avidité (I, 21) ou leur ignorance (II, 3 et V, 14).

Les riches bourgeois ressentent avec une certaine amertume la situation inférieure à laquelle les condamne leur roture, c'est-à-dire leur absence de noblesse. Ils cherchent à s'élever socialement, à participer à la conduite des affaires de l'État, à accéder à la culture et au luxe (comme le « Bourgeois gentilhomme » de Molière), mais la noblesse leur oppose ses privilèges, prétendant être la seule capable de définir le « bon goût ». D'où leur désir de devenir nobles, parfois par l'argent, parfois en usurpant des titres : La Fontaine fut, par exemple, condamné à une amende pour s'être donné un titre auquel il n'avait pas droit.

Les domestiques

Là encore, les différences sont grandes entre le valet de ferme (IV, 21) et le maître d'hôtel de grande maison, mais tous vivent chez leur maître et sont à son entier service ; ils n'ont droit à aucune vie privée, et sont fort souvent méprisés ou maltraités (V, 6). Que leur importe alors de changer de maître ? « Notre ennemi, c'est notre maître » (VI, 8). Aussi le loup refuse-t-il de devenir domestique : mieux vaut une liberté misérable que cet esclavage ! (I, 5).

La Fontaine, officier de naissance

Sa famille faisait partie de la bourgeoisie des officiers provinciaux. La Fontaine succéda à son père, mais les revenus trop incertains et trop faibles de cette charge l'obligèrent à tenter d'autres voies de réussite sociale : il devint alors avocat, titre qui menait un peu à tout... C'est la rencontre avec Fouquet qui lui offrit la possibilité de se consacrer à la littérature. Mais sa vocation littéraire, si elle le conduisit à la gloire, ne lui permit pas vraiment de « réussir dans la vie ». Il fut toujours dépendant de riches protecteurs : des bourgeois comme Fouquet ou le banquier d'Hervart, qui le recueillit à la fin de sa vie, ou de grands aristocrates comme la duchesse d'Orléans ou bien

Mme de La Sablière. Jamais il ne fit fortune, même s'il fréquenta la meilleure société du temps.

Dominants et dominés

Ce qui est avant tout sensible à travers les *Fables,* c'est l'opposition entre les faibles et les puissants. Bien sûr, c'est en se cachant derrière les masques des animaux que La Fontaine condamne ce système social qui favorise le privilégié et lui donne presque tous les droits (I, 10). Mais personne n'est dupe, la leçon est trop claire. Rares étaient alors ceux qui osaient parler au nom de ces faibles, faire sentir tout ce que l'orgueil des grands et des riches faisait souffrir au peuple ; rares aussi ceux qui savaient dénoncer les défauts de la cour et regarder lucidement la réalité humaine derrière les apparences de la grandeur et de la majesté.

Au temps
où les bêtes parlaient

Le serpent à la langue fourchue

Le premier homme et la première femme, Adam et Ève,
créés par Dieu à son image, vivent au paradis terrestre.
Mais ils y rencontrent un serpent qui leur parle... De là, le
destin de toute l'humanité.

L'homme et sa femme étaient tous deux nus, et ils n'en avaient
point honte.

Le serpent était le plus rusé de tous les animaux des champs,
que l'Éternel Dieu avait faits. Il dit à la femme : Dieu a-t-il
réellement dit : Vous ne mangerez pas de tous les arbres du
jardin ? La femme répondit au serpent : Nous mangeons du fruit
des arbres du jardin. Mais quant au fruit de l'arbre qui est au
milieu du jardin, Dieu a dit : Vous n'en mangerez point et vous
n'y toucherez point, de peur que vous ne mouriez. Alors le
serpent dit à la femme : Vous ne mourrez point, mais Dieu sait
que, le jour où vous en mangerez, vos yeux s'ouvriront, et que
vous serez comme des dieux, connaissant le bien et le mal.

La femme vit que l'arbre était bon à manger et agréable à la
vue, et qu'il était précieux pour ouvrir l'intelligence ; elle prit de
son fruit, et en mangea ; elle en donna aussi à son mari, qui était
auprès d'elle, et il en mangea.

Les yeux de l'un et de l'autre s'ouvrirent, ils connurent qu'ils
étaient nus, et ayant cousu des feuilles de figuier, ils s'en firent
des ceintures. Alors ils entendirent la voix de l'Éternel Dieu,
qui parcourait le jardin vers le soir, et l'homme et sa femme se
cachèrent loin de la face de l'Éternel Dieu, au milieu des arbres
du jardin.

Mais l'Éternel Dieu appela l'homme, et lui dit : Où es-tu ? Il répondit : j'ai entendu ta voix dans le jardin, et j'ai eu peur, parce que je suis nu, et je me suis caché. Et l'Éternel Dieu dit : Qui t'a appris que tu es nu ? Est-ce que tu as mangé de l'arbre dont je t'avais défendu de manger ? L'homme répondit : La femme que tu as mise auprès de moi m'a donné de l'arbre, et j'en ai mangé. Et l'Éternel Dieu dit à la femme : Pourquoi as-tu fait cela ? La femme répondit : Le serpent m'a séduite, et j'en ai mangé.

L'Éternel Dieu dit au serpent : Puisque tu as fait cela, tu seras maudit entre tout le bétail et entre tous les animaux des champs, tu marcheras sur ton ventre, et tu mangeras de la poussière tous les jours de ta vie. Je mettrai inimitié [haine, hostilité] entre toi et la femme, entre ta postérité [descendance] et sa postérité : celle-ci t'écrasera la tête, et tu lui blesseras le talon. Il dit à la femme : J'augmenterai la souffrance de tes grossesses, tu enfanteras avec douleur, et tes désirs se porteront vers ton mari, mais il dominera sur toi. Il dit à l'homme : Puisque tu as écouté la voix de ta femme, et que tu as mangé de l'arbre au sujet duquel je t'avais donné cet ordre : Tu n'en mangeras point ! le sol sera maudit à cause de toi. C'est à force de peine que tu en tireras ta nourriture tous les jours de ta vie, il te produira des épines et des ronces, et tu mangeras de l'herbe des champs. C'est à la sueur de ton visage que tu mangeras du pain, jusqu'à ce que tu retournes dans la terre, d'où tu as été pris ; car tu es poussière, et tu retourneras dans la poussière.

Adam donna à sa femme le nom d'Ève : car elle a été la mère de tous les vivants.

La Bible (Genèse, 3), traduction de Louis Segond,
La maison de la Bible, Genève, Paris, 1968.

Un aigle qui se prenait pour une oie

Les bêtes parlent aussi entre elles. La romancière suédoise Selma Lagerlöf (1858-1940) raconte ici l'histoire d'une vieille oie, Akka, qui n'a plus de petits. Elle a pris en pitié un aiglon dont les parents ont disparu et l'a nourri, si bien qu'il en a oublié sa nature d'aigle.

Quand les oies sauvages partirent en automne pour leur migration, Gorgo les suivit. Il se considérait toujours comme des leurs. Or l'air était rempli d'oiseaux en route pour les pays chauds, et ce fut un beau tapage, lorsqu'ils aperçurent dans la suite d'Akka un aigle. Des essaims de badauds entouraient toujours le triangle des oies. Akka les suppliait de se taire, mais comment lier tant de langues bavardes ?

« Pourquoi m'appellent-ils l'aigle ? demandait sans cesse Gorgo, toujours plus agacé. Ne voient-ils pas que je suis des vôtres ? Je ne suis pas de ces mangeurs d'oiseaux qui dévorent leurs pareils. »

Un jour, ils passaient au-dessus d'une ferme où des poules picoraient dans la basse-cour.

« Un aigle ! Un aigle ! » crièrent les poules en se sauvant éperdument.

Mais Gorgo, qui avait toujours entendu nommer les aigles comme de terribles malfaiteurs, ne put maîtriser sa colère. Il abaissa ses ailes, fonça droit sur une poule et lui enfonça ses serres dans le corps.

« Je t'apprendrai, moi, que je ne suis pas un aigle », criait-il furieux, en lui donnant des coups de bec.

À ce moment il entendit la voix d'Akka qui l'appelait. Obéissant, il remonta. L'oie sauvage vola au-devant de lui pour le châtier.

« Qu'est-ce qui te prend ? dit-elle en lui donnant un coup de bec. Était-ce ton intention de tuer la pauvre poule ? Tu n'as pas honte ? »

Comme l'aigle se laissait morigéner [réprimander] sans résistance par l'oie sauvage, une tempête de cris et de risées se déchaîna dans la foule des oiseaux. L'aigle entendit les rires et se tourna vers Akka avec des regards courroucés comme s'il voulait l'attaquer. Puis tout à coup, il vira brusquement,

157

s'élança vers le ciel à grands coups d'ailes vigoureux, monta si haut qu'aucun cri ne pouvait lui arriver, et ne cessa de planer tant que les oies purent l'apercevoir.

Trois jours plus tard il apparut de nouveau parmi les oies sauvages.

« Je sais maintenant qui je suis, dit-il à Akka. Puisque je suis un aigle, il faut bien que je vive comme les aigles, mais il me semble que nous n'en pourrions pas moins être amis. Jamais je n'attaquerai ni toi ni personne de ta race. »

Akka s'était fait un point d'honneur d'élever un aigle en faisant de lui un oiseau doux et inoffensif ; elle ne voulut pas admettre que Gorgo allât vivre à sa guise. « Crois-tu donc que je serai l'amie d'un mangeur d'oiseaux ? dit-elle. Vis comme je t'ai appris à vivre et je te permettrai de suivre la bande. »

Tous les deux étaient fiers et indomptables, tous les deux incapables de céder. Akka finit par défendre à l'aigle de se montrer devant elle, et sa colère fut si forte que nul n'osa plus prononcer le nom de Gorgo.

Depuis ce jour, Gorgo erra dans le pays, solitaire et haï de tous, brigand redoutable. Il était souvent d'humeur sombre, et souvent sans doute il regrettait le temps où il croyait être une oie sauvage et jouait avec les oisons. Parmi les animaux il avait acquis une grande renommée de hardiesse. On disait qu'il ne craignait au monde qu'un seul être, Akka, sa mère adoptive. On racontait en outre qu'il n'attaquait jamais une oie.

Selma Lagerlöf, *le Merveilleux Voyage de Nils Holgersson*
à travers la Suède, traduction de Thekla Hammar,
Librairie académique Perrin, 1912.

Qui a peur du grand méchant loup ?

Le romancier Marcel Aymé (1902-1967) le sait bien : le loup a mauvaise réputation. Et s'il ne la méritait pas ? Delphine et Marinette sont restées seules dans la ferme de leurs parents; voilà que le loup vient frapper à leur fenêtre : il a froid, il a mal à une patte, et, pour qu'elles le laissent entrer, il leur jure qu'il est devenu bon. Elles refusent d'abord, mais...

...Les petites étaient ennuyées de savoir que le loup avait froid et qu'il avait mal à une patte. La plus blonde murmura quelque chose à l'oreille de sa sœur en clignant de l'œil du côté du loup, pour lui faire entendre qu'elle était de son côté, avec lui. Delphine demeura pensive, car elle ne décidait rien à la légère.

« Il a l'air doux comme ça, dit-elle, mais je ne m'y fie pas. Rappelle-toi *le Loup et l'Agneau*... L'agneau ne lui avait pourtant rien fait. »

Et comme le loup protestait de ses bonnes intentions, elle lui jeta par le nez :

« Et l'agneau alors ?... Oui, l'agneau que vous avez mangé ? »

Le loup n'en fut pas démonté :

« L'agneau que j'ai mangé, dit-il, lequel ? »

Il disait ça tout tranquillement, comme une chose toute simple et qui va de soi, avec un air et un accent d'innocence qui faisaient froid dans le dos.

« Comment ? Vous en avez donc mangé plusieurs ! s'écria Delphine. Eh bien ! c'est du joli !

— Mais naturellement que j'en ai mangé plusieurs. Je ne vois pas où est le mal... Vous en mangez bien, vous ! »

Il n'y avait pas moyen de dire le contraire. On venait justement de manger du gigot au déjeuner de midi.

« Allons, reprit le loup, vous voyez bien que je ne suis pas méchant. Ouvrez-moi la porte, on s'assiéra en rond autour du fourneau, et je vous raconterai des histoires. [...] »

Les petites se disputaient à voix basse. La plus blonde était d'avis qu'on ouvrît la porte au loup, et tout de suite. On ne pouvait pas le laisser grelotter sous la bise avec une patte malade.

Mais Delphine restait méfiante.

« Enfin, disait Marinette, tu ne vas pas lui reprocher encore

les agneaux qu'il a mangés! Il ne peut pourtant pas se laisser
mourir de faim!

— Il n'a qu'à manger des pommes de terre », répliquait
Delphine. [...]

[Sous l'insistance de Marinette, Delphine est prête à ouvrir la
porte. Puis elle change d'avis :]

« Non, tout de même, ce serait trop bête! »

Delphine regarda le loup bien en face.

« Dites donc, loup, j'avais oublié le petit Chaperon rouge.
Parlons-en un peu du petit Chaperon rouge, voulez-vous ? »

Le loup baissa la tête avec humilité. Il ne s'attendait pas à
celle-ci. On l'entendit renifler derrière la vitre.

« C'est vrai, avoua-t-il, je l'ai mangé, le petit Chaperon
rouge, mais je vous assure que j'en ai déjà eu bien des remords.
Si c'était à refaire...

— Oui, oui, on dit toujours ça. »

Le loup se frappa la poitrine à l'endroit du cœur. Il avait une
belle voix grave.

« Ma parole, si c'était à refaire, j'aimerais mieux mourir de
faim!

— Tout de même, soupira la plus blonde, vous avez mangé le
petit Chaperon rouge!

— Je ne vous dis pas, consentit le loup. Je l'ai mangé, c'est
entendu, mais c'est un péché de jeunesse. Il y a si longtemps,
n'est-ce pas ? À tout péché miséricorde... Et puis, si vous saviez
les tracas que j'ai eus à cause de cette petite! Tenez, on est allé
jusqu'à dire que j'avais commencé par manger la grand-mère,
eh bien! ce n'est pas vrai du tout... »

Ici, le loup se mit à ricaner malgré lui, et probablement sans
bien se rendre compte qu'il ricanait.

« Je vous demande un peu! Manger de la grand-mère, alors
que j'avais une petite fille bien fraîche qui m'attendait pour mon
déjeuner! Je ne suis pas si bête... »

Au souvenir de ce repas de chair fraîche, le loup ne put se
tenir de passer plusieurs fois sa grande langue sur ses babines,

découvrant de longues dents pointues qui n'étaient pas pour rassurer les deux petites.

« Loup, vous êtes un menteur ! Si vous aviez tous les remords que vous dites, vous ne vous lécheriez pas ainsi les babines ! »

Le loup était bien penaud de s'être pourléché au souvenir d'une gamine potelée et fondant sous la dent, mais il se sentait si bon, si loyal, qu'il ne voulut pas douter de lui-même.

« Pardonnez-moi, dit-il, c'est une mauvaise habitude que je tiens de famille, mais ça ne veut rien dire...

— Tant pis pour vous si vous êtes mal élevé, déclara Delphine.

— Ne dites pas ça, soupira le loup, j'ai tant de regrets ! »

Marcel Aymé, « le Loup », *les Contes bleus du chat perché,* Gallimard, 1934.

Le plus fidèle ami de l'homme

Dans le conte suivant, Marie Noël (1883-1967) propose une nouvelle version de la Genèse, cette partie de la Bible qui explique comment Dieu fit l'homme après avoir créé les autres êtres vivant sur terre.

Dès que le Chien fut créé, il lécha la main du Bon Dieu et le Bon Dieu le flatta sur la tête :

« Que veux-tu, Chien ?

— Seigneur Bon Dieu, je voudrais loger chez toi, au ciel, sur le paillasson devant la porte.

— Bien sûr que non, dit le Bon Dieu. Je n'ai pas besoin de chien puisque je n'ai pas encore créé les voleurs.

— Quand les créeras-tu, Seigneur ?

— Jamais. Je suis fatigué. Voilà cinq jours que je travaille, il est temps que je me repose. Te voilà fait, toi, Chien, ma meilleure créature, mon chef-d'œuvre. Mieux vaut m'en tenir là. Il n'est pas bon qu'un artiste se surmène au-delà de son inspiration. Si je continuais à créer, je serais bien capable de rater mon affaire.

Va, Chien! Va vite t'installer sur la terre. Va et sois heureux. »

Le Chien poussa un profond soupir :

« Que ferais-je sur terre, Seigneur ?

— Tu mangeras, tu boiras, tu croîtras et tu multiplieras. »

Le Chien soupira plus tristement encore.

« Que te faut-il de plus ?

— Toi, Seigneur mon Maître! Ne pourrais-tu pas, Toi aussi, t'installer sur la terre ?

— Non, dit le Bon Dieu, non, Chien! Je t'assure. Je ne peux pas du tout m'installer sur la terre pour te tenir compagnie. J'ai bien d'autres chats à fouetter. Ce ciel, ces anges, ces étoiles, je t'assure, c'est tout un tracas. »

Alors le Chien baissa la tête et commença à s'en aller. Mais il revint :

« Ah! si seulement, Seigneur Bon Dieu, si seulement il y avait là-bas une espèce de maître dans ton genre ?

— Non, dit le Bon Dieu, il n'y en a pas. »

Le Chien se fit tout petit, tout bas et supplia plus près encore :

« Si tu voulais, Seigneur Bon Dieu..., tu pourrais toujours essayer...

— Impossible, dit le Bon Dieu. J'ai fait ce que j'ai fait. Mon œuvre est achevée. Jamais je ne créerai un être meilleur que toi. Si j'en créais un autre aujourd'hui, je le sens dans ma main droite, celui-là serait raté.

— Ô Seigneur Bon Dieu, dit le Chien, ça ne fait rien qu'il soit raté pourvu que je puisse le suivre partout où il va et me coucher devant lui quand il s'arrête. »

Alors le Bon Dieu fut émerveillé d'avoir créé une créature si bonne et il dit au Chien :

« Va! qu'il soit fait selon ton cœur. »

Et, rentrant dans son atelier, il créa l'Homme.

N.B. L'Homme est raté, naturellement. Le Bon Dieu l'avait bien dit. Mais le Chien est joliment content!

Marie Noël, « l'Œuvre du sixième jour », *Contes,* Stock, 1942.

Qui est le singe de l'autre ?

Le romancier Pierre Boulle situe son histoire intitulée *la Planète des Singes* au XXVIᵉ siècle. Des scientifiques abordent sur une étrange planète où des singes intelligents et civilisés se livrent à toutes sortes d'expériences sur des humains vivant comme des animaux. L'un des voyageurs, capturés par ces singes, essaie de communiquer avec celui qui lui semble être un scientifique de haut rang.

Ils se dirigèrent tout droit vers ma cage. N'étais-je pas le sujet le plus intéressant du lot ? J'accueillis l'autorité avec mon sourire le plus amical et en lui parlant sur un ton emphatique.

« Cher orang-outan, dis-je, combien je suis heureux d'être enfin en présence d'une créature qui respire la sagesse et l'intelligence ! Je suis sûr que nous allons nous entendre, toi et moi. »

Le cher vieillard avait tressauté au son de ma voix. Il se gratta longuement l'oreille, tandis que son œil soupçonneux inspectait la cage, comme s'il flairait une supercherie ! Zira prit alors la parole, son cahier à la main, relisant les notes prises à mon sujet. Elle insistait, mais il était manifeste que l'orang refusait de se laisser convaincre. Il prononça deux ou trois sentences d'allure pompeuse, haussa plusieurs fois les épaules, secoua la tête, puis mit les mains derrière son dos et entreprit une promenade dans le couloir, passant et repassant devant ma cage en me lançant des coups d'œil assez peu bienveillants. Les autres singes attendaient ses décisions dans un silence respectueux.

Un respect apparent tout au moins, et qui me parut peu réel lorsque je surpris un signe furtif d'un gorille à l'autre, sur le sens duquel il était difficile de se tromper : ils se payaient la tête du patron. Ceci, joint au dépit que je ressentais de son attitude à mon égard, m'inspira l'idée de lui jouer une petite scène propre à le convaincre de mon esprit. Je me mis à arpenter la cage en long et en large, imitant son allure, le dos voûté, les mains derrière le dos, les sourcils froncés avec un air de profonde méditation.

Les gorilles s'étouffèrent à force de rire et Zira, elle-même, ne put garder son sérieux. Quant à la secrétaire, elle fut obligée de plonger le museau dans sa serviette pour dissimuler son hilarité. Je me félicitai de ma démonstration, jusqu'au moment où je m'aperçus qu'elle était dangereuse.

Remarquant ma mimique, l'orang en conçut un violent dépit et prononça d'une voix sèche quelques paroles sévères qui rétablirent immédiatement l'ordre. Alors, il s'arrêta en face de moi et entreprit de dicter ses observations à sa secrétaire.

Il dictait depuis fort longtemps, ponctuant ses phrases de gestes pompeux. Je commençais à en avoir assez de son aveuglement et résolus de lui donner une nouvelle preuve de mes capacités. Tendant le bras vers lui, je prononçai, en m'appliquant de mon mieux :

« Mi Zaïus. »

J'avais remarqué que tous les subalternes s'adressant à lui commençaient par ces mots. Zaïus, je l'appris par la suite, était le nom du pontife, Mi, un titre honorifique.

Les singes furent médusés. Ils n'avaient plus du tout envie de rire, en particulier Zira, qui me parut extrêmement troublée, surtout lorsque j'ajoutai, en pointant un doigt vers elle : Zira, nom que j'avais également retenu et qui ne pouvait être que le sien. Quant à Zaïus, il fut en proie à une grande nervosité et se mit à arpenter le couloir, secouant de nouveau la tête d'un air incrédule.

Pierre Boulle, la Planète des singes, Julliard, 1963.

Annexes

La fable avant La Fontaine

Dans sa préface, La Fontaine se pose en simple adaptateur de « fables choisies mises en vers ». Il se situe par là même dans toute une lignée générique dont Ésope est certes le premier, mais non le seul modèle recevable. Le principe de l'apologue, récit fabuleux destiné à manifester par l'exemple le bien-fondé d'une loi morale ou d'un précepte de sagesse et les conséquences de sa transgression, est en effet très ancien. La plus vieille fable de la tradition gréco-latine se trouve chez le poète grec Hésiode (VIIIᵉ siècle av. J.-C.).

Ésope, Phèdre et leurs successeurs

En 325 avant J.-C., Démétrios de Phalère édita un recueil de 358 fables qu'il attribuait à Ésope. Celui-ci, selon l'historien grec Hérodote, aurait vécu au VIᵉ siècle avant J.-C. La critique moderne pense qu'il s'agit en fait d'une compilation d'apologues anonymes dont la rédaction s'est étalée sur un ou deux siècles, les plus anciens seuls remontant au VIᵉ siècle.

Ces apologues en prose, imitant le langage parlé, sont très brefs. Les animaux y prennent définitivement leur valeur symbolique de représentants des vertus et des défauts humains, mais les anecdotes sont réduites à l'essentiel pour servir, selon les termes de la rhétorique latine, d'*exemplum* à une morale fort didactique (« la fable montre que... »). Celle-ci est conçue comme un moyen d'action et de persuasion; c'est pourquoi, comme le rappelle La Fontaine, Platon lui accorde dans sa « cité idéale » une place qu'il refuse à la poésie, et Aristote traite de la fable non dans sa *Poétique,* mais dans sa *Rhétorique.*

On trouve également un certain nombre de fables en prose ici ou là chez les auteurs grecs et latins (Platon, Aristote, Plutarque, Aulu-Gelle, Tite-Live).

« Traductions » en prose

La redécouverte des textes d'Ésope dans leur forme originale par les humanistes des XVe et XVIe siècles suscita un certain nombre de « traductions » en prose au début du XVIIe siècle. À ces recueils s'ajoutent les fables éparses chez les prosateurs du XVIe siècle : Rabelais, Des Périers, Amyot.

La tradition versifiée

La Fontaine rappelle, en citant le *Phédon* de Platon, que Socrate le premier, sur une injonction des dieux à la veille de sa mort, s'est permis d'habiller les fables « des livrées des Muses » (Préface, p. 31).

Moins symbolique, plus historique, la référence à Phèdre : cet esclave grec, né en Thrace, venu à Rome et affranchi par Auguste, commence par traduire en vers latins les fables d'Ésope. À côté du souci de la concision apparaît alors celui d'embellir l'original par la variété et le pittoresque de l'expression. Puis, confronté à la haine d'un favori de l'empereur Tibère, il invente les sujets de ses fables, qui deviennent de virulentes satires des vices de la société contemporaine (sur un total de 135 fables, il n'emprunte à Ésope que 47 sujets). Chaque livre est encadré par un prologue et un épilogue où Phèdre définit ce qu'il a voulu faire et se défend à l'occasion contre ses ennemis. La Fontaine s'en souviendra : chacun des livres du premier recueil (sauf le quatrième) s'ouvre sur une sorte d'« Art poétique », et la dédicace comme l'épilogue contiennent également des déclarations d'intention artistique.

Mais bien d'autres ont tracé la voie à La Fontaine. Dès le IIe siècle avant J.-C., l'écrivain grec Babrios (ou Babrius), que La Fontaine appelle Gabrias, avait écrit sur le mode ésopique des fables en vers; cependant, au XVIIᵉ siècle, on ne connaissait de cette œuvre perdue qu'un abrégé datant du IXᵉ siècle, où chaque fable, « d'une élégance laconique », se réduit à un quatrain. La Fontaine cite également dans sa préface Aviénus (Avianus Flavius, IIᵉ ou IIIᵉ siècle apr. J.-C.), mais il connaissait aussi l'écrivain latin Aphtonius (IIIᵉ ou IVᵉ siècle apr. J.-C.). On trouve enfin quelques fables chez le grand poète latin Horace (Iᵉʳ siècle av. J.-C.).

Les modernes

Les modernes étrangers dont parle La Fontaine dans sa préface sont assez faciles à situer, ils sont italiens : Abstémius, humaniste, qui publie en 1495, à Venise, un recueil de fables ésopiques en vers latins; Gabriel Faërne et son *Centum Fabulae* (1564) magnifiquement illustré, composé de fables en vers néolatins, originales pour la plupart; Verdizotti et ses *Cent Fables morales* (1570)...

Il est plus difficile de situer exactement les Français qui « y ont travaillé » (Préface, p. 32). S'agit-il de Marot qui, dans son épître intitulée « À mon ami Lion » (1526), inclut une version en vers de la fable « le Lion et le Rat » ? Ou bien La Fontaine fait-il ainsi allusion à Régnier et à ses *Satires,* aux recueils de Corrozet (*Fables du très ancien Ésope phrygien,* en vers français, 1542), à Haudent (*Trois Cent Soixante et Six Apologues d'Ésope,* en vers français, 1547), à Guéroult (*le Premier Livre des emblèmes,* 1550), à Baïf (*Mimes, enseignements et proverbes,* 1576), ou encore à Hégémon (*la Colombière ou Maison rustique,* 1583)?

Les emblèmes

La Fontaine joue aussi de la référence à l'art de l'emblème, dont le succès, considérable au XVIᵉ siècle, se perpétua au XVIIᵉ siècle. L'emblème est constitué d'une figure (qui en est le « corps »), d'un intitulé (inscription, sentence, proverbe, voire titre...), et

d'un texte, développement de l'image et de l'intitulé (ou « âme »
de l'emblème).

Quelques ouvrages de base

On s'accorde généralement à penser que La Fontaine a essentiellement utilisé le recueil de Névelet, *Mythologia Aesopica* (1610,
réédité en 1660), qui contient les fables des Anciens et celles
d'Abstémius. Il a aussi utilisé l'édition de Phèdre par Lemaistre
de Sacy (1646) et sa traduction en prose (rééditée avec notes et
corrections en 1664).

La liste des sources des *Fables* montre que La Fontaine a utilisé
de nombreux textes...

Sources des fables citées dans le premier recueil

Ésope : I,2; I,10; I,16; II,5; II,9; II,10; II,11; II,12; II,14; II,15;
III,4; III,5; III,9; III,11; III,13; III,17; IV,2; IV,5; IV,14; V,2; V,3;
V,6; V,9; V,13; V,20; VI,7; VI,9; VI,10; VI,11; VI,16; VI,18.

Phèdre : I,2; I,3; I,5; I,10; I,18; I,22; II,7; III,4; III,9; III,11;
IV,9; IV,13; IV,14; IV,21; V,17; VI,8; VI,9.

Horace : I,3; I,9; III,17; IV,9; IV,13.

Aphtonius : I,9.

Avianus : I,22; VI,3.

Abstémius : II,2; V,19; V,20; VI,21.

Faërne : II,10; III,1; V,2.

Marot : II,11.

Guéroult : II,15.

Névelet : IV,15.

Aulu-Gelle : IV,22.

Verdizotti : VI,5.

Rabelais : VI,18.

Corrozet : VI,20.

L'esthétique galante

Lorsque La Fontaine est introduit auprès de Fouquet, il n'est en littérature qu'un débutant, malgré ses 36 ans. Sa seule publication, sous l'anonymat, est une traduction, ou plutôt une « belle infidèle », de Térence, ce qui ne l'engage guère, esthétiquement.

Or, pénétrant chez Fouquet, non seulement il entre dans un milieu dont les manières raffinées et l'art de la conversation élégante et spirituelle ne peuvent que l'influencer (même si La Bruyère le présente comme une sorte de rustre, voir p. 177) mais ne sacrifie-t-il pas ici au mythe du provincial, ou au goût du paradoxe ?), encore il s'introduit dans un véritable cercle littéraire. Son chef de file, Paul Pellisson, homme de confiance de Fouquet et académicien, vient justement de publier une importante préface aux œuvres de son ami Sarasin : c'est un véritable manifeste poétique. La comparaison entre ce *Discours sur les œuvres de M. Sarasin* (voir p. 171) et les diverses prises de position esthétiques de La Fontaine montre très nettement que celui-ci reprend ces propositions, et se montre tout disposé à satisfaire les attentes du public des « honnêtes gens ».

Le rôle du texte : instruire...

Tout bon écrivain doit être d'abord homme de lettres et de savoir, car la littérature n'est justifiée socialement que dans la mesure où elle met en jeu des connaissances utiles et où elle enseigne une doctrine solide. C'est pourquoi La Fontaine insiste tant sur la leçon morale des fables et sur leur portée scientifique et philosophique (voir la Préface, p. 30). « Je me sers d'animaux pour instruire les hommes », écrit-il dans la dédicace en vers du premier recueil. C'est aussi pour cela que La Fontaine assure la légitimité de son entreprise par la référence constante aux Anciens, garantie de « solidité » (voir *l'Épître à Huet*). Son projet lui-même, la « mise en vers », est justifié par le recours aux exemples de Socrate, Phèdre, Avianus et par l'aval, également, du théoricien latin Quintilien.

Mais l'ennui du savoir, c'est qu'il est fort souvent... ennuyeux. Au XVIIe siècle, les mondains, les précieux et les dames (qui par leur éducation n'ont pas le même accès à la culture gréco-latine) substituent peu à peu à l'image positive du savant, du docte, celle toute négative du pédant. La Fontaine approuve ce rejet (I,19 et IX,9), ce qui explique qu'il se réfère à Socrate, suivant en cela l'exemple de Pellisson. Car, pour celui-ci, Socrate, homme exceptionnel, « prince des philosophes », a su pratiquer une « philosophie vivante et animée » (Pellisson, *Discours*), mêlant savoir et divertissement.

La fable est alors un genre considéré comme didactique, voire scolaire, par le public mondain, celui-là même que La Fontaine cherche à intéresser. Le fabuliste ne peut donc tirer parti de son choix auprès de ses lecteurs qu'en « mondanisant » le genre ; et, pour ce faire, il faut qu'il agrémente ses récits de « quelques traits qui en relevassent le goût » (Préface, p. 34). Là encore, Pellisson lui montre le chemin dans son *Discours :* la meilleure sorte de texte est celle qui « traite de choses solides, et en traite solidement, mais [elle] y apporte mille sortes d'ornements pour les rendre plus agréables ». Autrement dit, tous deux tiennent à affirmer hautement qu'il n'y a pas de contradiction à être à la fois savant et bel esprit, et que « le savoir et l'enjouement ne sont pas incompatibles en un même ouvrage » (Pellisson, *Discours*).

... et plaire

L'écrivain doit chercher à « s'accommoder au goût de [son] siècle », écrit La Fontaine dans la préface des *Contes* de 1665. Et voilà « ce qu'on demande aujourd'hui : on veut de la nouveauté et de la gaieté » (Préface, p. 34).

La gaieté

« Je n'appelle pas gaieté ce qui excite le rire, mais un certain charme, un air agréable qu'on peut donner à toutes sortes de sujets, même les plus sérieux » (Préface, p. 34). La Fontaine s'engage alors dans un choix esthétique contesté à propos des fables. Dès le début de sa préface, il s'oppose, sans le nommer, à Patru (« un des maîtres de notre éloquence », p. 30), et aux puristes. Ainsi, avec une impertinente ironie, prend-il nettement parti contre les doctes.

La légèreté

« Vous puis-je offrir mes vers et leurs grâces légères ? » demande La Fontaine dans le second recueil des *Fables*. Rien qui sente l'application, le travail : il faut se faire comprendre et apprécier à demi-mot, en demi-teintes (voir V,1). D'un sujet, on ne doit prendre que « la fleur » (Épilogue du premier recueil des *Fables*).

La diversité

La fable, pour La Fontaine, est « une ample comédie à cent actes divers » (V,1). Il choisit ainsi de combiner tous les genres, de jouer de leurs contrastes et de les réunir sous une même manière et dans un même projet. Pour y réussir, il faut posséder « les idées de tous les genres divers d'écrire » (Pellisson, *Discours*). En récompense de la difficulté de l'entreprise, on y gagne la gloire : « exceller en plusieurs [genres d'écriture] et presque opposés [...] c'est la plus certaine marque de la grandeur et de la beauté d'un génie » (Pellisson, *Discours*).

« Un langage nouveau »

Il faut « se faire un nouveau chemin à la grandeur et à la gloire » (Pellisson, *Discours*). Rejetant dans le passé barbare tous ceux qui avant lui ont versifié des fables en français, La Fontaine se pose en novateur, voire en chef de file (Préface, p. 33). Avec une fausse désinvolture, il réclame la caution de ses lecteurs pour son innovation la plus audacieuse : la suppression de la morale. Même s'il ne le fait que rarement, c'est accorder la primauté à la narration, à l'ornementation, à la fonction de divertissement. Mais, s'il se le permet, c'est au nom du public; car « on ne considère en France que ce qui plaît : c'est la grande règle, et pour ainsi dire la seule » (Préface, p. 38).

Une stratégie réussie

Le succès immédiat et éclatant des *Fables* démontre qu'effectivement elles répondaient à une attente, peut-être parce que le terrain leur était déjà préparé. Pellisson avait pressenti que les voies de la réussite passaient par l'établissement d'un compromis, d'une alliance entre le public docte et le public mondain, dépassant leurs polémiques et rejetant dans le ridicule ou l'exécration le précieux (trop mondain) et le pédant (trop docte). L'entreprise théorique de Pellisson trouvait ainsi sa réalisation dans l'œuvre de La Fontaine.

Deux index thématiques

Leçons de sagesse

174

• « Être content du sien » : III,4 ; III,11 ; IV,2 ; IV,9 ; V,3 ; V,6 ; V,13 ; VI,11.

• « En toute chose il faut considérer la fin » : I,1 ; III,5 ; V,17 ; V,20.

• Vive...
— La patience : II,11.
— Le travail : V,9.
— La tranquillité : I,9.
— La liberté : I,5 ; IV,13.
— La vie : I,16.

Les animaux

Agneau : I,10.
Alouette : IV,22.
Âne : II,10 ; III,1 ; IV,5 ; VI,8 ; VI,11 ; VI,16.
Belette : II,5 ; III,17.
Bœuf : I,3.
Bouc : III,5.
Brebis : III,13.
Cerf : IV,13 ; VI,9.
Chat : VI,5.
Chauve-souris : II,5.
Cheval : IV,13 ; VI,16.
Chèvre, chevreau : IV,15.
Chien : I,5.
Cigale : I,1.
Cigogne : I,18 ; III,9.
Cochet (coq) : VI,5.
Colombe : II,12.
Corbeau : I,2.

Fourmi : I,1 ; II,12.
Geai : IV,9.
Grenouille : I,3 ; II,14 ; III,4.
Lice : II,7.
Lièvre : II,14 ; V,17 ; VI,10.
Lion : II,9 ; II,11 ; V,19.
Loup : I,5 ; I,10 ; III,9 ; III,13 ; IV,15.
Moucheron : II,9.
Ours : V,20.
Paon : IV,9.
Perdrix : V,17.
Poisson : V,3.
Poule : V,13.
Rat : I,9 ; II,2 ; II,11.
Renard : I,2 ; I,18 ; III,5 ; III,11 ; IV,14.
Souriceau : VI,5.
Tortue : VI,10.

La Fontaine et les écrivains

Quand ils s'expriment sur La Fontaine, les écrivains oscillent entre l'admiration et la haine, et situent, dans leur perception du fabuliste, leur propre poétique. Ainsi se dessine l'histoire de la réception de La Fontaine non seulement en tant que tel, mais aussi en tant que « classique » proposé, d'une part, comme modèle esthétique (d'où la tentation, pour certains, d'en prendre le contre-pied) et, d'autre part, comme pédagogue (au sens de « guide » pour le public enfantin).

Le XVIIᵉ siècle : la phase de consécration

Tous les témoignages contemporains confirment l'éclatant succès des *Fables* dès le premier recueil. La Fontaine est assez vite consacré en tant qu'auteur de premier rang, par les grâces de son style : en 1673, on fait déjà apprendre ses fables aux enfants, puisque la fille du Malade imaginaire propose à son père de lui réciter *le Corbeau et le Renard* (acte II, sc. 8).

Il n'y a personne qui ait fait tant d'honneur aux fables ésopiques que M. de La Fontaine par la nouvelle et excellente traduction qu'il en a faite, dont le style naïf et marotique est tout à fait inimitable et ajoute de grandes beautés aux originaux […]. Encore y en a-t-il beaucoup qui languiraient s'il n'en avait relevé le sujet par la beauté de son style et ses heureuses expressions.

Antoine Furetière, Fables, préface, 1671.

Faites-vous envoyer promptement les *Fables* de la Fontaine : elles sont divines. On croit d'abord en distinguer quelques-unes, et à force de les

176

relire, on les trouve toutes bonnes. C'est une manière de narrer et un style à quoi l'on ne s'accoutume point.

Mᵐᵉ de Sévigné, *Lettre à Bussy-Rabutin et à Mᵐᵉ de Coligny,* 20 juillet 1679.

Un homme paraît grossier, lourd, stupide, il ne sait pas parler, ni raconter ce qu'il vient de voir : s'il se met à écrire, c'est le modèle des bons contes ; il fait parler les animaux, les arbres, les pierres, tout ce qui ne parle point : ce n'est que légèreté, qu'élégance, que beau naturel, et que délicatesse dans ses ouvrages.

La Bruyère, *les Caractères,* 1691.

Non seulement il a inventé le genre de poésie où il s'est appliqué, mais il l'a porté à sa dernière perfection ; de sorte qu'il est le premier, et pour l'avoir inventé, et pour y avoir tellement excellé que personne ne pourra jamais avoir que la seconde place dans ce genre d'écrire […]. Il doit son principal mérite et sa grande réputation à ses poésies simples et naturelles.

Charles Perrault, *les Hommes illustres,* 1696-1700.

Le XVIIIᵉ siècle :
célébrations et critiques

Si La Fontaine devient un auteur classique et scolaire, des voix discordantes se font jour : Rousseau critique son statut de professeur de morale et Voltaire son style, jusque-là uniformément encensé.

Il serait superflu de s'arrêter à louer l'harmonie variée et légère de ses vers ; la grâce, le tour, l'élégance, les charmes naïfs de son style et de son badinage. Je remarquerai seulement que le bon sens et la simplicité sont les caractères dominants de ses écrits. Il est bon d'opposer un tel exemple à ceux qui cherchent la grâce et le brillant hors de la raison et de la nature. La simplicité de La Fontaine donne de la grâce à son bon sens, et son bon sens rend sa simplicité piquante : de sorte que le brillant de ses ouvrages naît peut-être essentiellement de ces deux sources réunies.

Vauvenargues, *Réflexions critiques sur quelques poètes,* 1746.

On fait apprendre les fables de La Fontaine à tous les enfants, et il n'y en a pas un seul qui les entende. Quand ils les entendraient, ce serait encore pis : car la morale en est tellement mêlée et si disproportionnée à leur âge, qu'elle les porterait plus au vice qu'à la vertu.

Ainsi donc la morale de la première fable [*le Corbeau et le Renard*] citée est pour l'enfant une leçon de la plus basse flatterie ; celle de la seconde [*la Cigale et la Fourmi*], une leçon d'inhumanité ; celle de la troisième [*la Génisse, la Chèvre et la Brebis, en société avec le Lion*], une leçon d'injustice ; celle de la quatrième [*le Lion et le Moucheron*], une leçon de satire ; celle de la cinquième [*le Loup et le Chien*], une leçon d'indépendance. [...]

Composons, monsieur de La Fontaine. Je promets, quant à moi, de vous lire, avec choix, de vous aimer, de m'instruire dans vos fables, car j'espère ne pas me tromper sur leur objet ; mais pour mon élève, permettez que je ne lui en laisse pas étudier une seule jusqu'à ce que vous m'ayez prouvé qu'il est bon pour lui d'apprendre des choses dont il ne comprendra pas le quart ; que, dans celles qu'il pourra comprendre, il ne prendra jamais le change et qu'au lieu de se corriger sur la dupe il ne se formera pas sur le fripon.

Jean-Jacques Rousseau, Émile, livre II, 1762.

Boileau ne l'a jamais compté parmi ceux qui faisaient honneur à ce grand siècle : sa raison ou son prétexte était qu'il n'avait jamais rien inventé. Ce qui pouvait encore excuser Boileau, c'était le grand nombre de fautes contre la langue et contre la correction du style, fautes que La Fontaine aurait pu éviter, et que ce sévère critique ne pouvait pardonner [...].

C'est un homme unique dans les excellents morceaux qu'il nous a laissés ; ils sont dans la bouche de tous ceux qui ont été élevés honnêtement ; ils contribuent même à leur éducation ; ils iront à la dernière postérité ; ils conviennent à tous les hommes, à tous les âges.

Voltaire, Dictionnaire philosophique, article « Fables », addition de 1771.

Le XIXᵉ siècle : pour ou contre ?

Tout l'art de La Fontaine tient peut-être à ce que chacun aussi peut y trouver ce qu'il y cherche : un modèle ou un repoussoir.

Ces histoires d'animaux qui parlent, qui se font des leçons, qui se moquent les uns des autres, qui sont égoïstes, railleurs, avares, sans pitié, sans amitié, plus méchants que nous, me soulevaient le cœur. Les *Fables* de La Fontaine sont plutôt la philosophie dure, froide et égoïste du vieillard, que la philosophie aimante, généreuse, naïve et bonne d'un enfant. [...]

On me faisait bien apprendre par cœur quelques fables de La Fontaine ; mais ces vers boiteux, disloqués, inégaux, sans symétrie, ni dans l'orcille ni sur la page, me rebutaient.

Lamartine, préface des Premières Méditations, 1849.

La Fontaine vit de la vie contemplative et visionnaire jusqu'à s'oublier lui-même et se perdre dans le grand tout. [...] Il se sent vivre de cette grande vie égale et forte ; il entre en communication avec la nature ; il est en équilibre avec la création. [...]

Il fait sa fleur et son fruit, fable et moralité, poésie et philosophie ; poésie étrange composée de tous les sens que la nature présente au rêveur, étrange philosophie qui sort des choses pour aller aux hommes.

La Fontaine, c'est un arbre de plus dans le bois, le fablier.

Victor Hugo, « Post-scriptum de ma vie », in le Tas de pierres, vers 1860-1865.

S'étant trouvé Gaulois d'instinct, mais développé par la culture latine et le commerce de la société la plus polie, [il] nous a donné notre œuvre poétique la plus nationale, la plus achevée, et la plus originale.

Hippolyte Taine, La Fontaine et ses Fables, 1861.

Dix ans plus tard, Arthur Rimbaud, dans sa *Lettre du voyant*, demandant au poète de « se faire voyant », s'emporte contre « la poésie française » : « cet odieux génie qui a inspiré Rabelais, Voltaire, Jean de La Fontaine, commenté par M. Taine ! » (*Lettre à Paul Demeny,* 15 mai 1871).

La Fontaine réinterprété

Au XXe siècle, les écrivains, qui sont souvent aussi des critiques littéraires, voire des professeurs, cherchent à analyser au plus

179

près ce qui leur paraît à chacun la justification de la permanence de La Fontaine en tant que « classique ».

La Fontaine, qui employa tant de mots, n'en inventa guère ; il est à remarquer que les bons écrivains sont généralement fort sobres de néologismes. Le fonds commun du langage leur suffit. C'est un fonds que ceux qui écrivent ne remuent pas aussi bien les uns que les autres. Faute de travail ou de génie, beaucoup n'y trouvent pas ce qu'il leur faut. La Fontaine en tira des trésors.

Anatole France, articles sur la langue de La Fontaine,
recueillis dans le Génie latin, 1913.

Lui seul n'a pas fait abstraction de la misère, de l'intrigue des petits, de la bassesse des courtisans, de l'amour de la flatterie chez le roi lui-même. [...] Pas une fable qui ne vous mette en garde contre la méchanceté ou l'indifférence des grands, la cupidité des bourgeois, la bassesse des courtisans. Ni la fidélité à Fouquet, qui a aimé la flatterie, ni l'amitié de Mme de Bouillon, qui est le modèle le plus réussi de la femme brillante, ne peuvent expliquer cette audace si contraire justement au genre de poésie que tous deux aimaient et à celle que leur offrait si complaisamment La Fontaine. [...]

Les *Fables* de La Fontaine ne nous montrent pas des hommes prenant des masques de bêtes, mais le contraire. Au-dessous du masque humain qui la couvre, demeure et vit, sans trop se douter de ce que le fabuliste lui fait dire, la bête véritable. Au-dessous de cette avarice, de cette adulation qu'on lui impose, existe tout ce qui est félin, fauve, poilu, et parfois transparaît d'une façon extraordinaire, écartant le déguisement humain, la candeur ou l'inquiétude animale.

Jean Giraudoux, les Cinq Tentations de La Fontaine, 1938.

La perfection de La Fontaine est plus subtile mais non moins exigeante que celle de Racine ; elle étend sur moins d'espace une apparence plus négligée, mais il n'est que d'y prêter attention suffisante : la touche est si discrète qu'elle pourrait passer inaperçue. Rien n'est plus loin de l'insistance romantique. Il passe outre aussitôt ; et si vous n'avez pas compris, tant pis. On ne saurait rêver d'art plus discret, d'apparence moins volontaire. C'est au point que l'on doute si l'on n'y ajoute point parfois, si La Fontaine est bien conscient lui-même, dans quelques vers ou quelques mots, de toute l'émotion qui s'y glisse ; on sent aussi qu'il y entre de la malice et qu'il faut se prêter au jeu, sous peine de ne pas bien l'entendre ; car il ne prend rien au sérieux.

André Gide, *Journal,* 19 septembre 1939, Gallimard, coll. « La Pléiade », tome II, 1954.

Le sort fatal de nos ouvrages est de se faire imperceptibles ou étranges. Les vivants successifs les ressentent de moins en moins, ou les considèrent de plus en plus comme les produits ingénus ou inconcevables ou bizarres d'une autre espèce d'hommes.

Paul Valéry, « Oraison funèbre d'une fable »,
in *Œuvres,* Gallimard, coll. « La Pléiade », tome I, 1968.

Avant ou après la lecture

Sujets d'imagination

1. Transformer le récit d'un incident vécu en fable. Essayer de l'écrire en vers.

2. Chercher un proverbe et imaginer un récit pouvant le mettre en scène.

3. Transposer une fable dans le monde contemporain; par exemple, pour *le Meunier, son Fils et l'Âne,* les personnages pourraient aller vendre une moto; les Grenouilles qui demandent un Roi deviendraient des élèves qui demandent un surveillant; le Lièvre et la Tortue seraient des banlieusards qui veulent attraper un train...

4. Un des animaux, la Cigale (I, 1), le Corbeau (I, 2) ou le Lion (II, 11), par exemple, se trouve entraîné dans une nouvelle aventure, au cours de laquelle il prouve qu'il a bien retenu la leçon donnée par la fable. Raconter.

5. Imaginer ce que firent finalement le Meunier (III, 1), la Belette (III, 17), ou les Rats (II, 2).

Sujets de composition française

1. « La raison du plus fort est toujours la meilleure. » Que signifie exactement ce proverbe? Raconter une expérience où il ne se vérifiait pas.

2. La Fontaine, comme la majorité de ses contemporains, pense que la mission de la littérature est à la fois d'instruire et de plaire. Commenter.

3. En partant des exemples tirés des *Fables,* analyser et justifier la

définition que le dictionnaire *Robert* donne de la poésie : « Art du langage généralement associé à la versification, visant à exprimer ou à suggérer quelque chose au moyen de combinaisons verbales où le rythme, l'harmonie et l'image ont autant et parfois plus d'importance que le contenu intelligible lui-même. »

Exposés

1. Montrer comment La Fontaine décrit la nature dans les *Fables*. On peut adopter le plan suivant :
a) les paysages : sortes de paysages, moyens descriptifs;
b) les animaux : espèces, description, caractère.

2. Quels sont les aspects réalistes et les aspects imaginaires dans la peinture des animaux? (Penser à demander son avis au professeur de biologie !)

3. Montrer que l'art de la versification de La Fontaine illustre bien ce jugement de La Bruyère : « C'est un métier que de faire un livre, comme de faire une pendule : il faut plus que de l'esprit [de l'inspiration] pour être auteur » (*les Caractères*, I, 3).

4. Comparer le portrait du plagiaire Ménippe par La Bruyère (*les Caractères,* II, 40) avec le portrait qu'en donne La Fontaine (IV, 9).

5. Le mélange des genres dans les *Fables* : montrer que La Fontaine transforme la fable en conte, en récit mythologique, en farce, en comédie...

Débats

1. Les morales de La Fontaine sont-elles encore valables aujourd'hui?

2. La Fontaine dénonce essentiellement les entreprises des puissants contre les faibles et l'ambition qui pousse les hommes à ne pas se satisfaire de ce qu'ils ont ou de ce qu'ils sont. Quels

autres défauts des hommes du XXᵉ siècle pourrait-on dénoncer par des fables modernes?

Mises en scène

Presque toutes les fables peuvent devenir des sketches ou de petites comédies. Essayer de jouer en groupes certaines d'entre elles (par exemple I, 5; I, 10; I, 16; III, 1...), en imaginant décors et costumes. Des masques d'animaux peuvent être réalisés avec les professeurs d'E.M.T. et d'arts plastiques. Et pourquoi pas un tournage en vidéo?

Bibliographie, discographie

Éditions
La Fontaine, *Fables,* annotées par R. Radouant, Hachette, 1929.
La Fontaine, *Fables,* annotées par G. Couton, Garnier, 1962.
La Fontaine, *Fables,* annotées par J.-P. Collinet, Gallimard, coll.
« Poésie », 1976.
La Fontaine, *Fables* (I à VI), annotées par R. Duchêne, Librairie
générale française, 1987.
La Fontaine, *Œuvres,* édition établie par Henri Régnier, coll.
« Grands Écrivains de France », 11 vol., 1883-1892. Le texte de
cette édition a été repris pour ce recueil.
La Fontaine, *Œuvres complètes, tome I : Fables et contes,* édition
établie par J.-P. Collinet, Gallimard, coll. « La Pléiade », 1991.

Biographies
R. Duchêne, *Jean de La Fontaine,* Fayard, 1990.
J. Orieux, *La Fontaine ou La vie est un conte,* Flammarion, 1976.

Ouvrages critiques
A.-M. Bassy, *les Fables de La Fontaine, quatre siècles d'illustration,*
Promodis, 1986.
P. Boutang, *La Fontaine politique,* Albin Michel, 1981.
P. Clarac, *La Fontaine par lui-même,* Le Seuil, coll. « Écrivains de
toujours », 1961.
P. Clarac, *Jean de La Fontaine,* Seghers, coll. « Écrivains d'hier et
d'aujourd'hui », 1965.
J.-P. Collinet, *le Monde littéraire de La Fontaine,* P.U.F., 1970.
O. de Mourgues, *Ô Muse, fuyante proie... Essai sur la poésie de La
Fontaine,* José Corti, 1962.

l'Esthétique galante. Discours sur les œuvres de M. Sarasin et autres textes, textes réunis, présentés et annotés sous la direction de A. Viala, Société de littérature classique, Toulouse, 1989.
Europe, n° 515, 1972.

Discographie
Fables, dites par J. Fabbri, F. Périer, P. Bertin. Cassettes/Disques Adès (ADE 531-C 3005-« Le Petit Ménestrel »).

Petit dictionnaire
pour expliquer les *Fables*

allitération *(nom fém.)* : répétition de lettres ou de syllabes dans une phrase, un vers. Ex. : « Quelqu'un le reconnut : il se vit bafoué, / Berné, sifflé, moqué, joué » (IV,9).

apologue *(nom masc.)* : court récit qui renferme un enseignement moral sous une forme imagée ; synonyme de « fable ».

archaïsme *(nom masc.)* : expression, ou mot ancien, qui n'est plus en usage. Ex. : « nenni » pour dire « non » est déjà un archaïsme au XVIIe siècle.

burlesque *(nom masc. et adj.)* : genre littéraire où le comique vient d'une opposition entre le niveau de langue et le sujet. Par exemple, La Fontaine emprunte une expression à la mythologie antique pour désigner un simple charretier : « le Phaéton d'une voiture à foin » (VI,18). À l'inverse, il utilise une expression familière pour désigner Borée, le dieu latin du Vent du nord : « Notre souffleur à gage » (VI,3).

champ lexical : dans un texte, ensemble des mots qui évoquent la même idée. Ex. : « misérables, cancres, hères, pauvres diables, gens portant bâton, mendiants » (I,5).

chute *(nom fém.)* : formule qui apporte de façon ingénieuse sa conclusion à un poème, à un texte.

conte *(nom masc.)* : récit (relativement court) d'aventures imaginaires, destinées à instruire, à faire réfléchir, ou simplement à distraire.

coq-à-l'âne *(nom masc.)* : texte dans lequel on passe sans transition, sans lien logique, d'un sujet à l'autre, comme La Fontaine passe d'une fable à l'autre.

dédicace *(nom fém.)* : formule par laquelle un auteur fait offrande de son œuvre à quelqu'un, en tête du livre. La Fontaine a par exemple dédié son premier recueil au fils aîné de Louis XIV.

dédier : voir « dédicace ».

dénouement *(nom masc.)* : ce qui termine, conclut la série d'événements racontée par le texte.

didactique *(adj.)* : désigne une œuvre où l'auteur s'efforce d'instruire son lecteur.

discours direct, indirect et récit de paroles

• Le discours direct consiste à citer exactement les paroles prononcées. Ex. : « Qui te rend si hardi de troubler mon breuvage ? / Dit cet animal plein de rage » (I,10).

• Le discours indirect consiste à transformer les paroles prononcées en les mettant dans une subordonnée conjonctive objet. Ex. : [le Doyen des Rats] « Opina qu'il fallait, et plus tôt que plus tard, / Attacher un grelot au cou de Rodilard » (II,2).

(En réalité, il a dit : « Il faut [...] attacher [...] »).

• Le récit de paroles consiste à résumer à peu près les paroles prononcées. Ex. : « Et Grenouilles de se plaindre » (III,4). On ne sait pas ce qu'elles ont dit exactement.

épilogue *(nom masc.)* : sorte de conclusion, placée à la fin d'un livre, et détachée du reste.

épique *(adj.)* : genre littéraire, voir « épopée ». C'est aussi un ton dont La Fontaine use, souvent par moquerie.

épopée *(nom fém.)* : long poème qui raconte des hauts faits guerriers, et où intervient le merveilleux (dieux, enchanteurs...). Ex. : *l'Iliade* et *l'Odyssée; les Chevaliers de la Table ronde.*

familier *(adj.)* : que l'on emploie naturellement dans la conversation courante.

farce *(nom fém.)* : petite pièce où dominent le comique de gestes (coups de bâton...) et le comique de mots (jeux de mots, mots à double sens...).

figure de style : expression, façon de parler particulière qui donne au texte plus de force, d'animation, de beauté. Ex. : l'allitération, l'ironie, la métaphore (voir ces mots).

genre littéraire : ensemble de caractéristiques thématiques (genre de sujets, d'événements, de personnages), formelles (prose ou vers, niveau de langue soutenu ou familier, texte long ou court...) et modales (ton comique, tragique, satirique...), qui permettent de rassembler sous un même nom un certain groupe de textes. Ex. : la fable est un genre littéraire.

humour *(nom masc.)* : procédé qui consiste à présenter la réalité de façon à en dégager les aspects drôles et bizarres.

ironie *(nom fém.)* : manière de se moquer en disant le contraire de ce qu'on veut faire comprendre, ou en employant des mots peu adaptés (trop forts, ou trop faibles) à la situation. Ex. : « Oh! oh! quelle caresse! et quelle mélodie! » (IV, 5).

licence poétique : liberté prise par un écrivain avec les règles de l'orthographe, de la syntaxe, pour les besoins de la versification. Ex. : « Je tette encor ma mère » (I,10).

métaphore *(nom fém.)* : identification d'une réalité à une autre, à laquelle, logiquement, elle devrait simplement être comparée. Ex. : « Vous êtes le phénix des hôtes de ces bois » (I,2).

métonymie *(nom fém.)* : figure de style par laquelle on exprime une chose par une autre qui est en relation avec elle. Ex. : «la bise» pour dire « l'hiver », « l'oût » (août) pour dire « la moisson » (I,1).

morale *(nom fém.)* : 1. Ensemble des règles de bonne conduite dans la vie quotidienne. 2. Conclusion que l'on peut tirer d'une histoire, d'une fable. 3. La partie du texte qui exprime cette conclusion.

mythologie *(nom fém.)* : ensemble de récits fabuleux (ou mythes) qui décrivent les origines du monde et de l'humanité, qui justifient le fonctionnement d'une société ou qui racontent l'histoire de ses dieux.

narrateur *(nom masc.)* : personne que le texte lui-même désigne comme « celui qui raconte ».

parabole *(nom fém.)* : récit donnant sous une forme imagée un enseignement religieux ou de morale religieuse.

péjoratif *(adj.)* : qui dévalorise la chose ou la personne désignée. Ex. : « couple ignorant et rustre » (III,1). Le contraire est **laudatif** (ex. : « Que vous êtes joli! que vous me semblez beau! » I,2).

péripétie *(nom fém.)* : chacun des événements successifs qui modifient la situation.

périphrase *(nom fém.)* : figure de style qui consiste à évoquer un être ou un objet par un groupe de mots qui le définit. Ex. : les « coursiers à longues oreilles » = les ânes (II,10).

personnification *(nom fém.)* : figure de style qui consiste à parler d'un objet comme s'il était un être vivant avec une volonté et des sentiments. Ex. : le Chêne, le Roseau, le Vent sont personnifiés (I,22).

pointe *(nom fém.)* : expression originale et amusante, trait d'esprit (ou « trait »), allusion piquante, qui animent un texte ou une conversation. Ex. : « Il n'est, pour voir, que l'œil du maître. / Quant à moi, j'y mettrais encor l'œil de l'amant » (IV,21).

satire *(nom fém.)* : poème où l'auteur critique les vices ou les ridicules de ses contemporains; au sens général, tout texte qui s'attaque par le ridicule et la moquerie à quelque chose ou à quelqu'un.

trait : voir « pointe ».

vers de circonstance : vers écrits pour être offerts à quelqu'un, célébrant une occasion, un événement de sa vie (anniversaire, mariage, petit ou grand chagrin...).

Conception éditoriale : Noëlle Degoud.
Conception graphique : François Weil.
Coordination éditoriale : Marianne Briault
et Emmanuelle Fillion.
Collaboration rédactionnelle : Cécile Botlan.
Coordination de fabrication : Marlène Delbeken.
Documentation iconographique : Nicole Laguigné.
Schéma : Thierry Chauchat, pp. 10 et 11.

Composition : Optigraphic.
Imprimerie Hérissey. — 27000 Évreux. — N° 55546.
Dépôt légal : Septembre 1991. N° série Éditeur : 16296.
Imprimé en France *(Printed in France)*. 871 230 - septembre 1991.

192